# 総合判例研究叢書

労働法(7)

争議行為と解雇……………………………窪田隼人

有斐閣

# 序

フランスにおいて、自由法学の名とともに判例の研究が異常な発達を遂げているのは、その民法典が百五十余年の齢を重ねたからだといわれている。それに比較すると、わが国の諸法典は、まだ若い。最も古いものでも、六、七十年の年月を経たに過ぎない。しかし、わが国の諸法典は、いずれも、近代的法制を全く知らなかつたところに輸入されたものである。そのことを思えば、この六十年の間に極めて重要な判例の変遷があつたであろうことは、容易に想像がつく。事実、わが国の諸法典は、それに関連する判例の研究でこれを補充しなければ、その正確な意味を理解し得ないようになつている。

判例が法源であるかどうかの理論については、今日なお議論の余地があろう。しかし、実際問題として、多くの条項が判例によつてその具体的な意義を明かにされているばかりでなく、判例によつて特殊の制度が創造されている例も、決して少くはない。判例研究の重要なことについては、何人も異議のないことであろう。

判例の創造した特殊の制度の内容を明かにするためにはもちろんのこと、判例によつて明かにされた条項の意義を探るためにも、判例の総合的な研究が必要である。同一の事項についてのすべての判決を探り、取り扱われた事実の微妙な差異に注意しながら、総合的・発展的に研究するのでなければ、判例の研究は、決して終局の目的を達することはできない。そしてそれには、時間をかけた克明な努力を必要とする。

幸なことには、わが国でも、十数年来、そうした研究の必要が感じられ、優れた成果も少くないようになつた。いまや、この成果を集め、足らざるを補ない、欠けたるを充たし、全分野にわたる研究を完成すべき時期に際会している。

かようにして、われわれは、全国の学者を動員し、すでに優れた研究のできているものについては、その補訂を乞い、まだ研究の尽されていないものについては、新たに適任者にお願いして、ここに「総合判例研究叢書」を編むことにした。第一回に発表したものは、各法域に亘る重要な問題のうち、研究成果の比較的早くでき上ると予想されるものである。これに洩れた事項でさらに重要なもののあることは、われわれもよく知つている。やがて、第二回、第三回と編集を継続して、完全な総合判例法の完成を期するつもりである。ここに、編集に当つての所信を述べ、協力される諸学者に深甚の謝意を表するとともに、同学の士の援助を願う次第である。

昭和三十一年五月

編集代表

小野清一郎　宮沢俊義
末川　博　我妻　栄
中川善之助

# 凡例

一　判例の重要なものについては、判旨、事実、上告論旨等を引用し、各件毎に一連番号を附した。

二　判例年月日、巻数、頁数等を示すには、おおむね左の略号を用いた。

大判大五・一一・八民録二二・二〇七七　（大審院判決録）

（大正五年十一月八日、大審院判決、大審院民事判決録二十二輯二〇七七頁）

大判大一四・四・二三刑集四・二六二　（大審院判例集）

最判昭二二・一二・一五刑集一・一・八〇　（最高裁判所判例集）

（昭和二十二年十二月十五日、最高裁判所判決、最高裁判所刑事判例集一巻一号八〇頁）

大判昭二・一二・六新聞二七九一・一五　（法律新聞）

大判昭三・九・二〇評論一八民法五七五　（法律評論）

大判昭四・五・二二裁判例三・刑法五五　（大審院裁判例）

福岡高判昭二六・一二・一四刑集四・一四・二一一四　（高等裁判所判例集）

大阪高判昭二八・七・四下級民集四・七・九七一　（下級裁判所民事裁判例集）

最判昭二八・二・二〇行政例集四・二・二三一　（行政事件裁判例集）

名古屋高判昭二五・五・八特一〇・七〇　（高等裁判所刑事判決特報）

東京高判昭三〇・一〇・二四東京高時報六・二・民二四九　（東京高等裁判所判決時報）

札幌高決昭二九・七・二三高裁特報一・二・七一　（高等裁判所刑事裁判特報）

前橋地決昭三〇・六・三〇労民集六・四・三八九　（労働関係民事裁判例集）

その他に、例えば次のような略語を用いた。

裁判所時報＝裁　時　　家庭裁判所月報＝家裁月報

判例時報＝判　時　　判例タイムズ＝判　タ

目次

## 争議行為と解雇

窪田隼人

# 争議行為と解雇

窪田隼人

# はしがき

争議行為をめぐる民事の裁判例は、刑事事件と同様おびただしい数にのぼる。そのなかでももつとも多いのが、争議行為もしくはこれと関連する事由にもとづいて行われた解雇に関する事件である。

労働者が労働組合の正当な行為をしたことの故をもつてその労働者を解雇することは、使用者の不当労働行為として禁止されるところである（労組法七条一号）。しかし、争議行為は、労働者の団結力と組織力とが、もつとも具体的にかつ集約的に表現されるものであり、労働争議は団結の力と資本の力が対決し、両者の雌雄を決する場なのである。そこには異常な緊張と対立があり、労働法原理と市民法原理の鋭い対決がみられる。争議行為をめぐるほとんどの裁判例が、一方においては刑法上の対象として、他方では争議労働者の企業外への放逐としての懲戒解雇の対象として問題とされているのも、こうした事情を背景とするものであろう。

本稿は争議行為を理由とする解雇の適否を取扱おうとするものである。しかし、すでに正当な争議行為は法によつて保護されているところから、当然のこととして争議行為の正当性の問題がまず明らかにされざるをえない。したがつて、いきおい本稿の大半は、争議行為の正当性の限界に関する判例の見解をさぐることに費やさざるをえないことになつた。このため、本稿では幾分本叢書の他の稿と重複した部分が生ずるとともに、反面とりあげた判例は解雇に関するものに止めようとしたため、反つて争議判例を網羅的に概観しえないことにもなつた。この点深く御詫びするとともに、足らざるところは他の稿を参照していただきたい。また、本稿で取り扱う問題は、たとえば不当労働行為や懲戒解雇等他の法理論と直接関連する部分がきわめて多い。こうした点も、他の稿によつてとりあげられたところを参照していただくことにする。

# 序説

憲法第二八条は、勤労者の「団体交渉その他の団体行動をする権利」はこれを保障する旨規定する。右の「その他の団体行動」のうちもつとも重要かつ典型的なものは争議行為であり、したがつて、同条が労働者の争議権を保障したものであるとすることについては異論がない。

争議権の発展が、否認、自由化、積極的肯定の三段階を経ることは、団結権の場合と同様である。ただ、団結権や団体交渉権の場合と異なり、争議権の保障は制度的には遥かにおくれて発展する。ことに、歴史的にも、争議行為が国家の直接的な干渉や妨害から解放された後においても、対使用者との関係において適法性が承認されるのは、ずつと後のことに属する。これは、労働者の争議行為が使用者の権利ないし自由と直接衝突する可能性を含み、しかも団体交渉が原則的に平和的な手段であるのに対し、実力行使を意味する争議行為の場合はその度合がはるかに強く、したがつて法律上これを権利として制度化し、さらには積極的に承認を与えることが困難であつたという理由による。

このように、団結権に比し、争議権は直接使用者または第三者の権利と衝突する面をもつところから、それにいかなる実質的内容を盛るかは、きわめて困難な問題である。もとより、資本主義制度を前提とするかぎり、争議権がかような制度そのものの変革を実現するための手段として保障されるものでないことはいうまでもない。しかし、争議権の保障は、労働者の生存権を具体化するための必要不可欠な手段としての意味をもつ。したがつて、何が正当な争議行為であるかということは、社会の歴史的発展過程を経て形成された事態を承認し、かつその中で成育せしめられてきた規範的理念を媒介としながら、具体的に判断する以外に方法はない。このことは、わが国についていえば、憲法のもつ歴史的特質ないし原理的基礎ずけのうちに争議権の内容を把握すべきことを意味する。

しかしながら、いずれにせよ、争議行為の具体的限界については、これを画一的に規定しえないものがあるため、最終的には判例の判断に委ねざるをえないこととなる。本稿の目的は、これら数多くの判例を通じて、争議行為の正当性の限界と、正当な範囲を逸脱した場合に起つて来る解雇の問題についての認識をえようとするのであるが、考察の順序として、まず争議行為の概念を明らかにしたのち、正当性の限界について一般的および個々の争議類型についてながめ、最後に違法な争議行為と法的責任の問題をとりあげてゆくことにする。

# 一　労働争議および争議行為の意義

## 一　労働争議および争議行為の概念

労働争議および争議行為の概念を明確に定義することはきわめて困難であるが、一般的にいえば、労働者の団体または使用者もしくはその団体が、労働者の経済的地位ないし生存に関連して発生した労使間の紛議を解決するため、集団的方法に訴えて、平和かつ正常な労使関係を阻害する闘争的状態を「労働争議」といい、かかる労働争議に際し、その当事者が自己の主張を貫徹することを目的として行う行為、およびこれに対抗する行為であつて、業務の正常な運営を阻害するものを「争議行為」

ということができよう。この場合、労働関係調整法第六条、第七条に掲げられた労働争議と争議行為の定義は一応の標準となりうるが、前者は国家機関たる労働委員会による労働紛争の調整開始存続の要件として、また、後者は争議行為の制限禁止との関連において問題となる規定であり、争議行為の正当性に関する法的評価という点からみる場合には、必ずしも同法の定義に限定する必要はない。正当性の評価の点からすれば、同盟罷業や怠業のような主たる争議手段はもとより、これにともなつて附随的、補助的に行われる行為をも含めて、ひろく概念構成をすることが必要となる。

同様なことは、争議の妥結条項として、責任不問責の協定が締結されたような場合にもあてはまる。たとえば、争議の妥結に際し、会社と組合との間において、「今回の争議に関する限り労使双方とも相互に一切の責任を問わないものとする」旨の協定が締結されたような場合に、ここにいう「争議」には、直接当該争議行為としてなされた行為のみならず、これと関連し附随する一切の行為をも含むものというべきである。裁判例はつぎのようにいう。

【1】「そしてここにいう争議に関するとは組合員のなした違法の争議行為そのものに限らず、苟も争議に関係する限り必ずしも争議中に限ることなく争議と因果関係を有し且つ当時のわが国における労働常識上争議と関連して発生するであろうことが通例の事態として予想され得る性質の不法行為ないし債務不履行をも包含すると解すべきで、これが通常の場合当事者の真意に合致すると考える。」（国際自動車事件、東京地判昭三一・二・二四労民集七・三・四二一）。

そして、具体的事例としては、ストライキ突入の直前に組合を脱退したX外二名の者が、多数の脱退者作成名義の脱退挨拶状をたずさえて営業所を訪れたところ、これに憤慨した組合員らが、口々に

「この野郎」「馬鹿野郎」と叫びながらXを引き倒し、数分間同人の頭部胴体を殴打または足蹴にして治療三週間を要する傷害を与えたことにつき、

【2】「前記のとおり日本橋営業所においては申請人らを含む組合員一同は十二月十六日にストライキに突入せんとする組合の闘争方針に従つていたのであるから、その前夜Xが同営業所を訪問した際申請人ら組合員は翌日のストライキを控え異常な緊張状態に置かれていたことは推察するに難くない。従つて、Xらの組合脱退に憤激し、その通告のために敢て来訪した同人の行為をストライキ切り崩し運動と感知したのは無理からぬところであつて、暴行はこの一時的興奮と群衆心理に駆られて敢行されたものであるからこの事件と争議とは密接な関連を有し争議がなければ発生しなかつたであろうことを推認するに難くない。ところでかかる事件は労働争議に通常随伴発生するものであるかというに、暴力行使は厳にこれを戒めなければならないが、わが国において当時の労働常識としては争議行為中または争議に接着して組合員と争議から脱落する組合員との間に紛争を生じ暴力沙汰に及ぶことは、通常あり得る事態と考えられているものというべく、これを以つて当事者の予期しない異例に属する事態であると論じ去ることはできない。即ち、日本橋営業所事件は争議に関連して通常の事態において発生することが容易に予測され得る性質の不法行為と認むべきであるので、本件協定にいわゆる争議に関するものと言わざるを得ない。」（前掲国際自動車事件）。

とされる。このように、労働争議ないし争議行為は労使の「力の対抗関係」として、本来流動的発展的性格をもつものであり、ことに使用者側の態度いかんによつては、とるべき対抗措置もかなり異なつてこざるをえない。つぎの例は、ストライキ中の団体交渉に関するものであるが、ここでも労働関係の流動性という点が考慮されていることは注目してよい。

【3】「申請人ら組合員が支店長次長ら支店幹部に対し強い不満を感じていたことは、前にも見たとおり無

理からぬところであり、また支店長らの所在が判らぬまま十二月十五日の給料支払日を迎え、スト賃差引問題に焦慮していたであろうことも充分推測できるところであるから、同日支店において、その日給料支払のため出社したY経理課長らに対し、スト賃差引の問題について、十二日の団体交渉における同様の要求をして交渉をなしたこと、その際、再考を促して一旦休憩したところ、同課長らが何ら回答することなく一方的にスト賃を差引いた給料を支払う旨の告知書を掲示したため、これに憤慨して同課長らを詰問したこと、次いで、同課長らに対し支店長次長の所在を追求した結果その所在が判明したので、これを支店に同行したうえ、支店長に対し十二日の団体交渉の継続を強く要求して交渉に入つたことは、一応労働組合の団体交渉及びこれに附随した行為と認むべきである。」（九州電力佐賀支店事件、福岡地判昭三三・九・一八労民集九・五・六九一）。

もつとも、こうした労働争議もしくは争議行為の概念把握と、それがいかなる責任を発生すべきかという問題とが、別個のことがらに属するものであることはいうまでもない。以下では、まず労働争議もしくは争議行為の概念を明らかにするについての主なる標識について、もつぱら本稿の主題との関連において問題となつた判例につき、これを分析してみよう。

（一）　労働関係の当事者　　労働争議は労働関係を基礎として行われるものであるが、ここにいう労働関係とはいわゆる集団的労働関係を指し、したがつて、その当事者は労働組合その他労働者の団体または使用者もしくはその団体であつて、個々の労働者が当事者となりうるものではない。この点に関し、

【4】「……債権者が臨時工として雇入れられ臨時工として雇傭関係を継続したこと前認定の如くであり、しかも債権者としても作業課長その他直属の職制や労務課係員に向つて、ただ単に自己が本工であるとの主張をするのみで未だ自己の臨時工としての待遇を本工としてのそれに直ちに改めるよう要求して、債務者会社の

事務を妨げるような言動をしたことはなかつたことが前記各証言によつて疎明される以上、たとえ債権者がその独自の見解に基き自己を臨時工にあらずして本工である旨主張したからといつてこれにより直に債権者、債務者間の雇傭関係に実質上何等の変動を生ずるわけではなく、したがつて債権者が右趣旨の主張をなすことを以て労務に関する企業組織を現実に変更破壊したものとなすことはできない。ただ債権者のこの様な見解が他の臨時工全般に波及し、臨時工全員が同調して卒然として一方的にその本工である旨債務者に対して主張し本工としての待遇を要求するに至るが如きことがあるならば、債務者にとつてその労務管理上一の紛争であり若しくは企業秩序の混乱とも言うことができよう……。」（東亜パルプ事件、神戸地判昭三四・七・二労民集一〇・四・七四一）。

との判旨がある。この判旨の意味するところは必ずしも明らかでないが、個々の労働者と使用者との間における労働条件に関する意見の不一致というだけでは、単に労働契約上の紛争が個別的に生じているだけで、労働争議とはいえず、また、かかる待遇の改善を要求して個々の労働者が独立して使用者の業務を妨げたとしても、そのことから直ちに争議行為が成立したものということはできないであろう。

しかし、このような主張に促されて、他の労働者が団結して労働条件の改善を要求するに至つた場合には、これを争議行為というに妨げない。この場合、労働者が労働組合を結成しているか否かは問うところでない。

【5】「およそ特定使用者と雇傭関係に立つ複数の勤労者は未だその間に形式上労働組合が結成されていない場合においても、偶々特定の目的に共同し、該目的達成に協力するときは矢張り之を以て勤労者が本来有する団結権、団体行動権の範囲に属する正当なる労働基本権の行使に該当するものというべきであつて、未だ労

働組合が組織されるに至らず、従つて組合活動というに至らないからとの理由から直に右の様な行為が法の保護の外にあるものとは到底解せられないところであつて、労働組合が未だ結成せられていない限りは、個々の勤労者に帰属する労働基本権のみが直接問題の対象として取り上げらるべきものである……。」（田中鉄工所事件、神戸地判昭三三・八・一三労民集九・五・七九一、なお東洋電装事件、東京地決昭三三・一・一〇労民集九・一・八一参照）。

また、労働争議の要件として、団体所属員と使用者との間に労働契約関係が現存するか否かは必ずしも必要ではない。ただ、被解雇者等現に労働契約関係がない者については、そのとりうる団体行動の手段の種類が若干異なるにすぎない。

【6】「ところで、従業員が解雇せられた場合には、原則としてこれによつて労働関係が終了すると解すべきであるが、被解雇者が未払賃金、退職金等の支払を求めている場合には、従来の労働関係が未だ清算されていないということができるから、その範囲において、従来の従業員たる地位が存続しているものというべく、従つて被解雇者の団体も右の限度において使用者に対し団体交渉を要求し、場合によつては、デモ等の団体行動をなすことも当然許されるものと解すべきである。」（松浦塩業事件、高松地丸亀支決昭三四・一〇・二六労民集一〇・五・九八二）。

（二）主張の不一致　労働争議によつて達成しようとする目的は、労働者の経済的地位の向上ないしその生存の確保である。その典型が労働条件の改善要求であることはいうまでもなく、たとえば、組合が、組合員の声にしたがつて組合大会を開催した結果、「春分の日はこの附近の工場でも休日であるのに、その要求を拒否するのは不当である。会社側が応じなければ、第一の方法として慰労休暇をとる。それができないときは、当日は実質的なストライキとして休業する」ことを決議し、これに従つて「三月二十一日を公休日とされたい」との要求書と、「大会の結果、全員一致三月二十一日を

公休日とすることに決定した」旨の通告書を会社に提出し、同日大会の決議通り出勤しなかつたことは、

【7】「右事実によれば、申請人らを含む組合員全員が、昭和二十五年三月二十一日作業しなかつた……のは、申請人らの属する前記労働組合と、被申請会社との間に労働条件（休日）に関し、主張の対立があり、組合が、その要求を貫徹するために行つた同盟罷業であると認めることができる。」（昌運工作所事件、横浜地判昭二五・六・六労民集一・四・五〇一）。

問題は、かかる主張の不一致が当該労働関係の当事者に存在するものでなければならないかどうかの点であるが、これについては政治ストや同情ストに関連して、その正当性とともに学説上争われていることは周知のところである。しかし、かりに主張の不一致が労使間に発生したものであることを要するとの立場に立つとしても、その不一致は必ずしも当該労使間に直接的に存在することが必要なわけではなく、労働者側の主張が間接的に使用者に対して交渉をもつものであれば足ると解すべきである。したがつて、たとえば、自主的組合と御用組合との間で組合員の獲得をめぐつて争いが生じ、御用組合の排除を求めて使用者に対して行う業務阻害行為も、争議行為ということができる。

これに反し、組合の分裂抗争に起因するような単なる組合間の紛争は、労働争議とはいえない。組合分裂の結果第二組合の総会が開かれようとした際、第一組合員がこれを妨害した上、第一組合を主体とする従業員大会を強行しようとし、その参加者を集める手段として第二組合員に対し無法な強要行為をなし、そのため会社の生産作業が著しく阻害されたという事案に対し、つぎのような判旨がある。

【8】「以上のような訳で、同日における申請人等の不穏行為も要するにその原因は第一組合と第二組合との間で予ての対立抗争に見出されるのであつて、それが偶々ぼつ発して一場の紛じようとなつたものと認めるを相当とする。尤もこれより先、同月十四日被申請会社は第一組合に対し同組合との間の労働協約を破棄する旨通告を発し、両者の間に一種の争議状態の発生していたことは弁論の全趣旨に照し否定し得ないところであるがこの事実と前示十月二十七日における申請人等の行為との間には必ずしも明白なる直接の関連は認め得ないのであつて、申請人等の右行為を目して被申請会社に対する争議行為の一発現となすことは俄かに首肯し能わぬところである。」（豊和工業事件、名古屋地判昭二四・二・五労働関係民事事件裁判集二・八五）。

労働者がすでに取得し、または近く取得すべき労務債権の確保を主張してとつた行為も争議行為ないし争議状態と目すべきではないと考えられる。裁判例によれば、原材料の入荷がないため生産機能がほとんど停止し、賃金の遅配現象も生じ、会社は近く工場を全面的に閉鎖するとの噂が会社幹部の口から流布せられる有様で、従業員は来るべき危機を予感して不安に包まれていたが、会社の休業申入れによつてその噂が現実となり、しかもその後の団体交渉において、従業員の未払賃金、退職金等の労務債権について規定通り支払われるかどうか見通しがつかないという会社側の回答によつて、従業員は不安のどん底に追いやられた。そこで、このまま拱手傍観的態度に止まつていたならば労務債権の確保はとうてい覚つかないという気持ちが従業員間に支配的となり、債権確保のため、やむなく会社の集金に係る現金、小切手等を組合側に一時抑留保管したり、製品原料等の出荷を阻止し、ついでこれらを仮差押えする行為にでた。これについて、判旨はいう。

【9】「このようにみてくると、組合の右各行為は結局傘下従業員の労務債権確保の為法的手段に訴えるま

での間の緊急非常の手段として執つた自救行為と見るのが相当であり、会社側がロックアウトをもつて対抗すべき組合の争議行為乃至争議状態と目すべきでないと考える次第である。」（カルケット食品大阪支店事件、大阪地決）（昭三〇・一二・一七労民集七・一・一五）。

㈢ 業務の正常な運営の阻害　争議行為は力の対抗関係をとおしての労使の抗争であり、具体的には争議手段がとられることによつて、使用者の正常な業務の運営が阻害されるものでなければならない。

しかし、業務の正常な運営を阻害するものであるかぎり、これに参加する労働者が組合全体としてであるか部分的にであるかは問わないし、また、組合の統制下になされたか否かも問題とならない。さらに、要求貫徹のために直接に使用者に向つて業務を阻害するためになされたか、あるいは組合集会に出席するため職場を放棄し、その結果間接的に正常業務が阻害されるに至つたものであるかによつても、区別は生じない。

【10】「被申請会社及び訴外大分交通労働組合の間には昭和二十三年十一月頃から越年資金の要求を廻つて争議を生じていたが、昭和二十三年十二月二十二日大分市内若竹公園で主催者不詳の越年資金獲得労働者蹶起大会が催された際被申請会社従業員の多数が職場を抛棄してこれに参加したので被申請会社の別府亀川大分間電車運行は同日午後一時頃から次第に減車の止むなきに至り遂に平常運行量の約三分の一となつて午後八時頃ようやく平常に復し……たことが認められる。

……そこで申請人等の前記行動が越年資金要求に関する主張貫徹を目的としたものであつたことはその前後の事情から容易に窺い得るのであり、右行動の主体となつた申請人等各労働者又はその集団はいわゆる『労働関係の当事者』たるを失わないし、これによつて被申請会社の業務の正常な運営は前述の通り阻害されたのであるから、申請人等の右行動は正に争議行為に該当するといわなければならない。」（大分交通事件、大分地判昭二四・一二・一六労働関係民事事件裁判集三・二八）。

ところで、争議態勢下においては、組合員は異常な緊張状態におかれやすく、このためややもすると、平常に比し作業能率の多少の低下をみることは避けがたいところであろうが、かかる作業能率の低下が意識的に行われたものではなく、全体としては依然就労状態にあると認められるような場合には、未だ争議行為が成立したものということはできないであろう。

【11】「組合は右説示のとおり八月七日以降争議態勢に入ると共に工場に総評系の赤旗を翻し、工場の板塀に首切反対等のビラを貼りつけたとはいえ、右八月十六日の解雇通告のなされる直前まで申請人等全従業員の就労作業は続けられていたのである。もっとも……闘争態勢下にある間は平常に比し、作業能率が多少低下したことは否めないにせよ、組合員が継続して意識的に怠業したとは認められないのである。組合員は一方で闘争態勢をとり乍らも、他方では引き続き就労していたのであって、組合が争議行為に訴えずに会社の正常な業務運営を著しく阻害したことは認められない。」（太田鉄工所事件、大阪地判昭三一・一二・一労民集七・六・九八六）。

業務の正常な運営の阻害は、通常労働契約上の義務の不履行によって引き起こされる。したがって、休日労働や時間外労働の拒否に関しても、休日、時間外労働の協定を締結するか否かは当事者双方の自由に属することがらであるところから、かかる休日、時間外労働についての協議を拒否し、あるいは休日、時間外労働等をなさなかったとしても、もともと休日、時間外労働の義務がはじめから存在しない以上、これをもって争議行為と解することはできない。

【12】「被申請人は、調停中において前記中元時における休日営業及び時間延長について組合が協議をつく

さなかつたことをもつて協約……に違反するものと主張し、……組合が当時会社との賃金改訂の紛議につき会社に苦痛を与え、よつて会社に譲歩を促す手段として前記指令に基き前記協議をつくさなかつたことは、前記争なき事実の経過に照し一応認め得るが、これをもつて右協約条項にいう争議行為と解するに由なく……。」（三越事件、東京地判昭二六・一二・二八労民集二・六・六五四）。

【13】「しかし十一月七日が休日として定められていたこと、組合が会社に対する休日手当の交渉の過程で、組合の要求を拒否されたことに対する対抗策として会社の休日出勤の要請を拒否し、右七日の休日を確認し、同日出勤しないことを決議し、X、Y等がこれに従つて同日出勤しなかつたものであることは、前に認定したところで明らかである。従つて、七日の日に出勤しなかつたことが、組合活動の一端として行われたことは明白であり、そして、単に会社が出勤を要求したというだけで、休日に休むことが労働契約の違反になるわけでもなく、また業務の正常な運営を阻害するものということはできないから、争議行為にさえならないわけで、これを違法とする根拠はない。」（朝日硝子事件、大阪地判昭三一・六・一五労民集七・三・四九四）。

これに反し、すでに時間外労働協定が成立しているにもかかわらず、その有効期間中に一方的にこれを拒否することが、争議行為にあたるかどうかについては、学説上争いのあるところであるが、裁判例はこれを肯定する。

【14】「会社は残業協定に背くと主張するが、……通常勤務の残業協定に反することは争議行為として正当になし得るところであり……。」（本田技研工業事件、東京地決昭三三・一一・二四労民集九・六・一〇一三）。

被解雇者が未払賃金や退職金の支払を求めている場合のごとく、従来の労働関係の清算をめぐつて紛争が生じている場合には、なお従来の従業員たる地位が存続しているものというべく、その限りにおいて団体行動の許されることはすでに触れたところであるが（【6】）、被解雇者自身には労働契約上履行すべき労務の給付義務はなくなつているわけであるから、その範囲において争議行為の形態について もおのずから他の場合と異なつた制約のあることは否めない。ことに、使用者が全従業員を解雇するとともに、企業全体を廃止したような場合には、争議行為によつて阻害さるべき正常な業務そのものが存在しなくなるわけであるから、ストライキやサボタージュ等の争議手段はこれを行うべき余地がなくなるものといえる。

【15】「しかしながら使用者が全従業員を解雇すると共に解散して企業を廃止したような場合においては事業継続中の場合と異り労働者においてストライキ、サボタージュ或は工場占拠等の争議手段は、争議行為によつて阻害さるべき正常な業務が存在しないことからみて、これを行う余地がないものというべきであり、このことは争議中に使用者が全従業員を解雇すると共に解散して企業を廃止した場合においても、右の全員解雇が使用者側の争議手段として行われたものではなく真に企業を廃止するために行われたものである限り、同様であつて、被解雇者は右解雇解散後においてはもはやストライキ、サボタージュ或は工場占拠等の争議手段はこれを行うことができないものといわなければならない。」（松浦塩業事件、高松地丸亀支決昭三四・一〇・二六労民集一〇・五・九八二）。

二ないし三交替制の勤務態様をとることは、法のとくに禁止するところではないため、二交替制を本来の勤務としているような場合に、労働者が一交替制をとることを主張してこれを拒否することは争議行為といえるが、その場合どの部分をもつて争議行為とみるかが問題となる。裁判例はつぎのようにいう。

【16】「……二交替制（午前七時半から午後三時半までの勤務と午後二時半から十時半までの勤務）が本来の勤務ならば、一交替制（午前八時半から午後四時半までの勤務）の指令は、不就業部分についてストライキ

の指令と見るべきであり……。」（前掲本田技研工業事件）。

（四）「正常な運営」の意義　右にみたところを要約すれば、争議行為の概念標識の中心をなすものは、第一に、それが一定の要求をかかげ、その貫徹を目的としてなされる労働者の団体行動（および使用者のこれに対抗してなす手段）であるということ、第二に、当該団体行動によつて企業の正常な運営が阻害されるものであるということである。そして、このような概念標識に立つて争議行為を類型的に分類した場合、同盟罷業（ストライキ）、怠業、ピケッティング、生産管理等が争議行為に該当することは異論のないところであろう。しかし、かかる典型的な争議手段以外のものについては、とくに、そこにいう業務の「正常な運営」とはいかなるものを指すかについて、必ずしも統一的な見解の一致をみないところから、しばしば対立的な見解が示されることがある。いわゆる遵法闘争と争議行為の成否をめぐる問題はその一つである。すなわち、法令に従つた業務の運営が「正常な」業務の運営であると解する立場からは、遵法闘争は右にいう争議行為には含まれないが、法令を無視して事実上行われている状態がすなわち「正常」であると解すると争議行為に該当する。裁判例は後者の立場に立ち、労使関係において慣行的に期待されている通常の業務の運営を阻害するような労働者の組織的行動は、すべて争議行為にあたるとみているようである。

【17】「労使関係においては現実の慣行的事実が尊重さるべきでいわゆる遵法闘争と称するものも、これにより期待される慣行的事実となつている業務のノーマルな運営が阻害される場合、これを争議行為となすを相当とすべく……。」（日本化薬厚狭作業所事件、広島高判昭三四・五・三〇労民集一〇・三・五三一）。

右のような立場からみて、しばしば論争の対象となる各種の争議手段につき、判例の態度を述べてみよう。

## 二　争議行為の類型

（一）　定時出勤闘争　定時出勤、定時退庁闘争は、就業規則その他によつて予め定められた時間通りに入門して作業を開始し、または作業を終了して退社することである。

定時出勤闘争により、多数の従業員は一時に入門を開始するため定刻通り全従業員の入門ができない場合があり、また作業の準備や作業衣の着替え等準備行為が整わないため作業開始はおのずから多少の遅延を来すことになる。裁判例は、いずれもこうした定時出勤闘争は争議行為にあたるとする。

【18】「就業規則第四六条には『始業は午前八時三〇分とし、労働時間には入門から担当職場までの時間を含まない。』旨が定められていること、作業所においては午前八時三〇分までに入門すれば遅刻扱にされていないことは当事者間に争がなく、……従来作業所においては製薬課はじめ各課作業員は各自休憩所で作業衣に着替えた上午前八時三〇分までに配置板に指示された各自作業現場に到着し、始業サイレンの吹鳴と共に作業を開始してお〔ることが認められる〕。被控訴人等は作業所においては従業員は八時三〇分までに入門すれば遅刻扱にならないから、就業規則第四六条の規定は死文化し、右のように組合員が一斉に八時三〇分直前に入門して各担当作業現場に赴いたために作業開始が多少遅れたとしても、それはサービス労働が行われなかつたというだけで争議行為とはならないと主張するが、八時三〇分入門が遅刻にならないということは人事考課的考慮として遅刻扱いにされないというに過ぎず、従来作業所における作業が右就業規則の規定どおり八時三〇分に開始されてきている以上、たとえ右時刻までに入門していても作業開始を遅らせることは会社の正常な業務を停廃せしめるものであることに変りはなく、……争議行為でないとの所論は到底肯認できない。」（日本化薬厚狭作業所事

件、広島高判昭三四・五・三〇労民集一〇・三・五三一）。

【19】「申請人らが七月十六日夜翌十七日東京三店において所謂定時出勤の措置をとることを決し翌十七日朝申請人ら中央闘争委員が分れて東京三店に臨み組合員の入場を指示したること及び東京三店においては勤務時間は午前九時四十五分より午後五時四十五分までと定められていたことは当事者間に争のないところである。成立を認め得る乙第四十乃至第四十三号によれば、当時東京三店においては、組合との間に協定は結ばれていなかつたが、防護部員は午前八時四十五分庶務雇員は午前九時までに入場し、店内の清掃シヤッターの捲上げその他に従事し、一般従業員は午前九時四十五分までに一箇の従業員入口より入場し、入口近くに置きある各部毎の出勤簿に捺印し、地下室等において更衣しエレベーター等を利用して各職場に行き十時の開店に間に合せていたこと、十七日朝東京三店においては午前九時四十五分以前より防護部員庶務雇員を含む多数の従業員がいづれも従業員入口の近くに集り、申請人ら中央闘争委員の指示に従い、右四十五分の僅か以前より順次入場しはじめ、当時は入口における出勤簿の捺印に代え出勤票が入口で手渡され、各職場に進みたるが、午前九時四十五分には三店とも全部の出勤者の入場を了しなかつたこと、かくて通行、エレベーターの利用等の混雑もあつて、平常のようには用意整わずして十時の開店となり、平常の執務状況になるまでなお十分乃至二十分を要したることを一応認めることが出来る。……而して組合の右措置は、右疎明された事実と前記争なき事実の経過を綜合すれば、組合が会社をして都労委の調停案を受諾せしめ、これにより調停を成立せしめて自己の要求を調停案の限度において貫徹せんとして為したるものなることを伺い得べく、また、従業員の全員が午前九時四十五分までに入場を了しなかつたこと及び組合の右措置により会社の業務の運営に支障を来さしめたことが前記のように一応認められる以上、組合の右措置は、所謂定時出勤の措置が争議行為なりや否やはともあれ、協約第百四十三条第百四十四条にいう争議行為に当るものと解せざるを得ない。」（三越事件、東京地判昭二六・六・一二・二八労民集二・六・六四五）。

（一）第一四三条「会社及び組合は労働委員会の斡旋調停又は仲裁中は争議行為を行わない」
第一四四条「労働委員会の調停によつて解決をみない場合……に会社又は組合がやむを得ず争議行為に入ろうとするときは四十八時間前に相手方に通告すべきものとする」

（二）一斉休暇闘争　一斉休暇闘争は、通常労働基準法第三九条によつて定められた年次有給休暇を、労働者の団体の統制の下に、一斉にこれをとるという方法によつて行われる。年次有給休暇はもとより労働者保護のために労働者に認められたものであつて、保護法上の権利であるが、労働者が一斉に休暇をとることによつて「事業の正常な運営」が妨げられる場合には、使用者はこれを他の時期に変更させることができることになつている。しかし、こうした一斉休暇闘争そのものをどのような性格のものとみるかが問題なのであるが、裁判例はこれもまた争議行為とみなしている。

【20】（事実）「観光バス会社に於ては業務の性質上季節による繁閑の差が甚だしく、時間外手当の計算につき、時間外労働時間と閑暇な折の時間とを相殺すると言う特殊な操作を、その合法性は別としてともかく慣例として行つていたが、少くともシーズン期に於ては時間外手当は全額支給される約束であつた。かかる支給状況について、従業員等はかねて不満を有していたが、昭和三三年九月中に支給さるべき時間外手当は総計六万円余に達していたにかかわらず、同月に支給された給料の中には時間外手当は一銭も支給されていなかつた。そこでこれに憤慨した従業員等は全員一斉休暇を申入れた。なお一斉休暇申入れと同時に労働組合が結成された。」

（判旨）「よつて案ずるに右申請人等の行動（一斉休暇）は労働条件改善というよりもむしろ労働条件維持のために労働者が結束して使用者に要求を提出し、交渉するための、又その末の組織的行動であつて休暇の名のもとになされたとは云え、実に争議行為そのものに外ならず之はまさしく憲法二十八条によつて権利として保障さるべきことが確認されている勤労者の団体行動そのものであるといわなければならない。」（奈良観光バス事件、奈良地判昭三四・

三・二六労民集一〇・二・一四二）。

【21】「先ず公休の点については、被申請人病院に於ては従業員は月数回任意の日に病院側の諒承を得て公休をとることを慣例として認められている事実が疏明されている。しかしながら、右に認定したように、本件一斉公休について病院側が予め承認を与えた事実は認められずまた使用者としても本件のような殆んど全従業員の一斉公休に対しては、従来の慣例上の取扱いの有無に拘らず、業務運営確保の必要上これを拒否し得るのが当然であるから、申請人組合の実施した本件一斉公休は、結局病院側の意に反する労務提供拒否の行為であり、一般の同盟罷業とその性質を同じくするものというべきである。」（市原病院事件、東京地決昭二七・一二・一一労民集三・六・四九七）。

(三)　安全衛生遵法闘争　安全衛生遵法闘争とは、安全衛生に関する法令を規定通り忠実に守り、あるいは違反する箇所があると認める場合には、それが完備するまで作業を中止することを内容とする行為である。日常の作業状態においては法令違反の作業が行われながら、組合の要求貫徹のために遵法闘争手段がとられるところに問題があるわけであるが、裁判例は争議行為としてこれを取扱つている。なお、後にも触れるように、遵法闘争を部分ストとみるか怠業とみるかは困難な問題であるが、法規通りに作業を継続している場合は怠業とし、安全設備の完備を要求して作業を全く中止するに至つた場合に、はじめて部分ストとみるのが妥当であろう。

【22】「組合が本件争議において昭和二十四年十一月十九日より実施したいわゆる安全衛生遵法闘争とは、組合が労働安全衛生規則に違反する箇所があると認める職場の組合員に対し、中闘指令により安全設備の完備を職制に要求し、その完備するまでは作業を中止するよう命ずることを内容とするもので、一の争議行為として行われたものであることが認められる。従つて結局右争議行為の内容は会社側が安全規則違反と認めると否

とに拘らず、組合の違反と認める箇所の修理完成までは、当該職場の作業中止を命ずる一種の部分ストと考えられる……。」（三井造船事件、東京地判昭二八・七・三労民集四・四・二八一、同旨東京高判昭三〇・一〇・二八労民集六・六・八四三）。

【23】「右被控訴人等が当日にわかに組合員に命じて早出の電動車を始業時刻まで遅延させた上、始業サイレン吹鳴と共にベルの修理や取付をさせてそれが完備するまで電動車を運転せしめなかつたことは、右安全委員会の決議〔当時用いていたベルでは故障が多くもつと性能のよい警鈴を研究することとし、それが完備するまでは特に注意して運転させる旨の決議―筆者註〕の効力やその当否如何にかかわらず少くとも当時の慣行的事実と認められる作業所における電動車による運搬業務の正常な運営を阻害したものというほかなく、それが争議行為となること明白である。」（前掲日本化薬厚狭作業所事件）。

## 二　争議行為の正当性の一般的基準

### 一　総　説

労働者の争議行為は、その性質上個人主義的な市民法原理に対抗するものであるから、当初それ自体特別な犯罪として直接国家によつて禁止されたのであるが、かかる禁止を解かれた後も、対使用者の関係において契約違反もしくは不法行為にもとづく責任を厳しく追及された。したがつて、争議行為を権利として法が承認する場合は、まず争議行為の性質上生ぜざるをえないところの市民法上の違法性を除去することが最低の要請として必要となる。したがつて、市民法上とくに問題とされる信義則、補充の原則、法益権衡の原則についても、それを争議行為についてそのままあてはめることは許されない。

これらの諸原則について触れた裁判例としては、つぎのものがある。まず、信義則については、

【24】「申請人らの主張するように昭和二十六年十二月十一日に裁判所の立会の上で、労使間に翌十二日のスト回避のための話し合いがすすめられ、その際、裁判所から年内に前記仮処分の判決をするとの発言があつたので、組合も十二日のストは回避する旨言明したことは認められるが、それ以上に、組合が会社に対し、右懲戒問題について以後絶対に争議行為を行わない旨確約したことまでは認められない。従つて、その後組合が方針を変更して、十八、十九両日に本件争議行為を決行するに至つたことは、右のような経過から、年内にストを回避し得たと了解していた会社の期待を裏切る結果になつたとしても、それだけの理由で直ちに本件争議行為を著しく信義に反する違法な争議行為と断ずることはできない。」（三越事件、東京地決昭二九・一二・二四労民集五・一・八二）。

補充の原則については、

【25】「本来争議行為が法律上労働者の権利として保障されている以上、組合が訴訟等の手段にあわせて、争議行為の権利も行使して、更に強力に目的の貫徹を計ろうとすることもまた権利の行使として許されることであつて、これを違法ということはできない。組合が何等その必要がないのに、争議行為に訴えたというような特に不当な事情も認められない本件においては、この争議行為が補充の原則に違反するから違法であるとする被申請人の主張は採用し難い」。（前掲三越事件）。

最後に法益権衡の原則について、

【26】「しかしながら争議行為は本来労使共に損害をうけることを予想し、これによつて相手方に苦痛を加えてその目的を貫徹しようとするものであるから、これによつて、会社が或程度の損害を蒙むることは当然のことである。何らの要求もないのに、相手方に損害を与えることのみを目的にして、争議行為に訴えたとか、取るに足りない些少の要求に対して会社に多大な損害を与える争議を行つたとか、仮に要求が相当重要なもの

であつても、例えば生産手段の全機能を破壊するような重大な結果を招く争議を行つたような場合には、このことが問題となる場合もあろうが、本件のように組合幹部の解雇というような組合にとつては重大な事柄についてその撤回を求めるため争議を行い、その結果会社の受けた損害が相当大きかつたからといつて、直ちにその争議行為を法益権衡の原則に反する違法な争議ということは到底できない。」（前掲三越事件）。

元来、争議行為と市民法上の緊急行為とが異なるものであることはいうまでもない。争議権保障の意味は、市民法上例外と考えられたものを、原則として承認することである。争議行為は、労働力の取引のために用いられるかけひきとしての意味をもち、その内容ないし本体は、当該使用者に対して加えられる経済的圧迫である。このようにみてくると、争議行為に関し、市民法上の補充の原則や法益権衡の原則があてはまるものでないことは明らかであろう。このことは信義則についてもあてはまる。もちろん、争議権の憲法による保障も無制限のものでないことはいうまでもないが、労働者の団体的組織的行動である争議行為について適用されるのは、個人主義的な信義誠実の原則ではなく、労働良識に照らした信義則でなければならない。

ただ、この点に関しては、最高裁判所は、刑事事件に関し、

「憲法は勤労者に対して団結権、団体交渉権その他の団体行動権を保障すると共に、すべての国民に対して平等権、自由権、財産権等の基本的人権を保障しているのであつて、是等諸々の基本的人権が労働者の争議権の無制限な行使の前に悉く排除されることを認めているのでもなく、後者が前者に対して絶対的優位を有することを認めているのでもない。寧ろこれ等諸々の一般的基本的人権と労働者の権利との調和をこそ期待しているのであつて、この調和を破らないことが、即ち争議権の正当性の限界である。」（山田鋼業事件、最判昭二五・一一・一五刑集四・一一・二二五七）。

とするのが、確立した判例であるが、下級審においても、この趣旨を明示したものが見受けられる。

【27】「団体行動権といえども無制限な行使が許されるのではなく、所有権、占有権その他の財産権を侵害しない限度において許容されるものといわなければならない。」(日鉄二瀬鉱業所事件、福岡地飯塚支決昭三四・一〇・一三労民集一〇・五・九四五)。

【28】「惟うにわが国法は一面憲法第二十八条以下労働組合法、労働関係調整法等一連の労働立法において労働者の団結権及び団体交渉権を保障しこれが裏付として争議権をも保障しているのであるが、同時に憲法第二十九条において私有財産権の不可侵性を宣言し民商法その他の私法も亦これを基盤として厳然たる有機的法秩序を形成していることは言うまでもないことであつて、争議権と財産権はともに憲法第十二条第二十九条第二項の明定するとおりこれが濫用を禁止され、又常に公共の福祉に奉仕しなければならないという社会的制約の下に両者は全く平等であらねばならない。

もとより労働争議は労働関係の内容の決定又は変更に当つて労資の間に主張の一致が得られない場合に社会的経済的な力の行使によつて解決に到達しようとする労資の対決であつて、力の行使は当然業務の正常なる運営の阻害を意味するものであるけれども、その程度は前記の如く憲法の命ずる限界を越えてはならず且つ一般法秩序をとおして形成される国民一般の通念によつてあくまで公正妥当なものとして認容されるものであらねばならない。従つて労働者側の争議が不当に長期にわたつて継続せられ、財産権の表現としての経営権を根本から動揺させたり社会秩序としての公共の福祉を害するに至つた場合は、他に使用者にも非難に値すべき誘発行為があつたとか或は組合側にもやむにやまれない事情があつたとか言う特別事情(国民一般の通念によつて許容される事情)が存せざる限り争議は正当なものとして認容せらるべきではない。」(松浦炭礦事件、長崎地佐世保支判昭二五・一一・三〇労民集一・六・九四五)。

さて、権利として法が承認する争議行為は、いずれも「正当な」争議行為に限られる(労組法一条二項八条、七条一号)。しかし、「正当な」ということの意味は、憲法上の争議権の保障を離れて、労働組合法によつて独自の立場からその基準が設定されるものではない。要は、憲法による争議権承認の理論にもとづいて解決さるべきである。

ところで、通常争議行為の正当性を判断する場合には、目的および手段の双方からなされる。両者は具体的な争議行為においては切り離して判断しえないのであるが、ここでも便宜上この区別に従うこととする。

## 二　争議目的の正当性

争議行為が正当であるためには、その目的が正当でなければならない。目的において正当性を欠く争議行為は、たとえその手段、態様が正当であつても違法な争議行為となる。労働組合法は、「労働者が使用者との交渉において対等の立場を促進することにより、労働者の地位を向上させること」を同法の基本目的としてかかげ（同法一条一項）、同時にこれを争議行為の目的の正当性を判断するについての基準としている（一条二項参照）。しかし、もとより正当性の判断にあたつては、右規定の形式的な解釈にとらわれることなく、結局各個の具体的な場合について、憲法第二八条が労働者の生存権の保障を具体化する方法として争議権を保障している趣旨を生かしうるように判断することが必要である。

（一）　経済的目的の争議　労働者の経済的地位の向上を目的として行う争議行為は、さらに、これを単純な経済的目的のためのものと、ひろく労働者の団結を確保するためのものとの二つに分けることができる。

(1)　狭義の経済的目的のための争議

労働条件の維持改善を目的とする単純な経済的目的を内容とする争議行為が正当なことはいうまでもない。しかし、経済的目的の内容は、必ずしもこのような労働条件に関する要求にとどまらず、すすんでいわゆる経営権の内容をなすべき事項にまで及ぶことがある。このような場合、問題となるべき事例として、つぎのようなものがある。

（イ）　過大な要求を主張する争議行為　労働組合の要求する労働条件の内容が、当該企業の現状からみて客観的に実現不可能であるような場合に、かかる要求をかかげて争議行為にでることが許されるかどうかについて、労働組合が自己の要求をあくまで固執し、ために企業の運営秩序をますます混乱におとしめることは、財産権を侵害し、公共の福祉を害するものである、という裁判例がある。

【29】「いまここに前に認定した本件争議の経過を見れば、会社が昭和二十四年九月前示のとおり中企業体としては過重な赤字及び負債の累積に喘いで……経営合理化が必要となつた際、組合側においては反つて従来の約二倍に達する賃金値上や総額一千万円に達する越年資金の支払を求めて一歩も譲らないという無誠意を示し、その要求貫徹のため同年十月以降同年末にかけて本件争議を長期にわたつて継続するとともに、自主的職場闘争という明に無秩序と混乱を予想される闘争手段を強行して、その結果再三にわたる多数従業員の職場離脱やそれに附随する多数組合員の団体交渉場へのデモや果ては連続三日間昼夜を分たない田辺所長宅包囲事件という明瞭に違法なる争議行為等をも発生せしめて、全従業員の業務運営秩序を破壊して出炭を激減させるに至り赤字の累積と赤字加算金の廃止で唯でさえも平衡を失いかけていた会社の財産権の表現としての経営権を根本から動揺させて会社をして人員整理を余儀なくさせるほど悲境の底に陥らしめ、ひいては基幹産業としてとくに会社に課せられた重大な社会的使命の達成に少くない支障を生ぜしめたものであるから、結局本件争議はその全体を見れば明に憲法の肯認する財産権を侵害し公共福祉を害したものと謂わなければならない。」（松浦

炭礦事件、長崎地佐世保支判昭二五・一一・二〇労民集一・六・九四五）。

しかし、かかる過大な経済的要求も、一般にはけつきよく団体交渉の過程において合理的な妥結点を見出すことを予期しているものとみられ、このことのみによつて、直ちに当該争議が不当となるものではない。

【30】「被申請人は、本件解雇について二個の理由をあげているけれどもまず(イ)の理由は、たとえ客観的にその経済的要求が実現不可能であるとしても、労働者の経済的地位の向上を目的とする限り、それは結局団体交渉の段階において合理的な妥協点を求めているものとして、正当な争議目的であり、集団作業拒否は正当な争議手段であるから、被申請人の主張の理由によつては解雇しえないこと明かである。」（姫路土建事件、神戸地姫路支判昭三一・一・二六労民集七・一・九四）。

【31】「……本人尋問の結果を綜合すると、協議会及団体交渉に当つて、組合側は、『要求額の金六千円は敢て之を固執せず』と度々明言した事実が認められる。このことから本要求には労使関係の交渉に於て通常とられる駈引きの意味があり、納得ゆくような会社側の説明の有無によつて弾力性を持たせたものであることを認めることができる。して見るとこの要求額と前記認定のような会社の経理状況とを相対して考えたとき、本要求は当然に争議行為の正当な目的となり得るものといわなくてはならない。」（三石耐火煉瓦事件、大分地臼杵支判昭二九・一〇・二〇労民集五・六・六二八）。

【32】「被申請人は組合は過大な要求を固執して譲らず、怠業罷業を繰返して会社幹部の業務指揮権を排除したのは服務規定上懲戒解雇事由に該当すると主張するが、たとえ客観的にその経済的要求が実現不可能であるとしても、労働者の経済的地位の向上を目的とする限り、正当な争議目的であり、それは結局団体交渉の段階において合理的な妥協点を求めているものと解すべきであるから、他に不当な目的を有することが疎明されていない以上これを非難し得ない……。」（和光純薬事件、神戸地決昭二五・六・八労民集一・四・五〇五）。

（ロ）　経営干渉の争議行為　労働条件の維持改善は、労働者の人事や経営の運営等いわゆる経営権の内容となるべきものと密接な関連をもつ場合が少なくない。したがつて、経営参加、たとえば経営協議会の設置を求め、あるいは労働者の人事に関して一般的もしくは具体的に労働組合の参加を要求し、このために争議行為の手段に訴えたとしても、それは労働者の地位の安定や労働条件の維持向上に密接な関連をもち、これを不当視することはできない。

使用者の企業の運営方法や経営者の人選等使用者の専権とされているような事項について批判を加えることも、たとえば、それがもつぱら会社幹部の退陣もしくは復職のみを直接の目的としたものではなく、労働条件に関する要求を貫徹するための必要的手段として行われたような場合には、必ずしも労働組合の活動として正当な範囲を逸脱するものではない。

【33】「被申請人は申請人らが戸田校長復職運動或いは財団民主化運動として行つた所は、正当な組合活動の範囲外に出るものであつてこういう財団に協力しないものを被申請人が解雇するのは当然であると主張するが、これらの運動がいずれも財団民主化という目的によつて行われていることは疎明されているところであつて申請人らの属する組合が、組合員の労働条件身分保障等を改善するために、遡つて財団の運営方法や学長の人選に対して批判を加え意見を開陳し、或いは組合が自らの活動のみによらずして利害関係を共にする他のものと協力して行動することがあつても、その際に採用される手段方法さえ妥当な限界を守るものであれば正当な組合活動の範囲を逸脱したものというべきではない……。」（東京家政学院事件、東京地決昭二六・三・二四労民集二・二・一五〇）。

会社側利益代表者の人事について経営参加を要求するような場合は、正当と目される場合が多いであろう。かつて組合員であつた平社員が累進して、事実上労働者の人事の決定権をもつことができるような非組合員たる会社側利益代表者にまで昇進したにもかかわらず、なんら釈明の機会を与えられることもなく卒然と解雇されたような場合に、組合員が将来同様な事態の発生することをおそれて、解雇反対の闘争にでることは、争議行為として正当な目的を逸脱するものではない。

【34】「高新労組は、右両名の解雇を不当解雇とみたこと、当初は右両名の解雇という緊急の突発的事態に眼を奪われ、右解雇反対を強調するの余り、解雇取消要求を貫徹するためにのみ、争議に入つたと思われる如き行動をとつたが、高新労組と申立人会社との間に、雇傭条件、昇進、解雇等一般的人事事項に関する労働協約が締結されていない状況下にあつて、右両名の解雇処分に付された理由、手続に不安を覚え、将来に於て組合員に対しても同様の事態の発生することを懸念し、組合員の利益を守るため、人事機構の確立を要求して闘争すべきであるとし、かつ又、組合員たる平社員も累進して、他日は申立人会社の経営補助者として非組合員たる地位に立つことを慮り、非組合員たる右両名の解雇問題を、ひとり組合員の問題であるのみならず、従業員一般の立場に於て捉えて考え、右解雇反対闘争をしたことは明かである。即ち、高新労組が、右両名の解雇取消を争議の目的の一として掲げたのは、前記の如き意味に於て、右両名の解雇が、組合員の利害に直接、間接に関連があつたからである。かかる場合には、非組合員たる右両名の解雇反対をも、争議の目的の一として掲げたからという、直ちに右争議は違法であると解するのは妥当ではない。」(高知新聞事件、高知地判昭三一・一二・二八労民集七・六・一〇一八)。

これに反し、地方公務員が課長の行政的手腕に不満をもち、直接知事宛に書面を提出してこれが更迭を要望するのは、地方公共団体の秩序を無視するものであり、職員としての適格性を欠くとされた事例がある。すなわち、従来A業務課長について、その赴任以来公共事業部の一部職員の間で、同課長の執務が消極的であり、従業員の労苦は一向実を結ばず、公共事業部の事業の経営も順調に行かないとの不満が潜在していたが、A課長をもつとも不適任と考えていたXは、組合長に就任した直後、組合各支部に対して事業部理事者に対する不満あるいは要求を発表するための職場大会の開催を指令し、また、Xの発意により、「特に業務課長にありては、無為無策何等なすところを知らず、徒らに長崎営業所に赴いて一日を糊塗し、その細事を指導するに過ぎず、部下を掌握する才能なく」との文言を含む課長更迭の陳情書を直接知事宛に提出したが、その作成提出にあたつて、Xは少数の組合幹部には諮つたけれども、一般組合員に対しては彼等に動揺を与えることを惧れて、これに付議することなく実行に移した、というような事情の下では、Xの行動は直接労働者の経済的地位の向上に関連をもつものではないというのである。

【35】「そこで右認定事実に基づき、原告のとつた行動について考えるのに、原告は労働組合長であるから、組合を代表して知事と交渉する権限を有することは勿論であるが、昭和二十三年政令第二百一号第一条にいう『苦情、意見、希望又は不満』とは、凡ゆる事項についてのそれを意味するのではなく、労働組合法第一条、第二条、国家公務員法第八十六条等の趣旨に従い、主として労働条件の維持、改善、その他労働者の経済的地位の向上に関する事項についての苦情意見等を指すものと解すべきであるから、本件において、A業務課長の存在が、客観的に見て、組合員の労働条件に不当に悪影響を及ぼすとか、その経済的地位を不当に低下するとか、或はこれらの虞があるということであれば格別、原告が陳情の趣旨とするところの、単に同課長の勤務ぶりが消極的であるからその更迭を求めるという様なことは、本来原告が組合の代表者として交渉し得ない事項に属するものと謂わなければならぬ。もし此の様な理由を論じて、労働組合が課長の進退について交渉できるとするならば、行政事務の秩序が混乱し、収拾がつかなくなることは明瞭であろう。斯様に、原告はその介入すべきでない事項を理由として、上司の解職を要求したものであるが、尚その要求に関して、多数組合員の同意を得ていないのに敢て之を実行したこと、直近の上司である事業部長を経ず、直ちに知事に陳情したこと、

Ａ課長に対する人身攻撃的文言を用いたことなどの事情があることを考え合せれば、原告の行動は労働組合の正常の目的を見失い、地方公共団体の秩序を無視した不当なものということができるのであつて、結局原告は、地方公共団体の業務の円滑な運行を阻害し、且つ、その虞ある人物として、県職員としての適格性を欠くとの認定を甘受すべきであろう。」（長崎県事件、長崎地判昭二五・一一・二一労民集一・六・一一三二）。

(2)　団結権確保のための争議

争議の目的が直接的に経済的要求に向けられている場合のみならず、ひろく労働者の団結を強固にし、その組織を拡大するために向けられ、あるいは団結に対する侵害を排除することを目的とする場合にも、一般に適法な争議目的といえる。

【36】「元来争議は労働者が使用者と対等の立場で交渉をなす建前に基き労働者の経済的地位の維持又は向上を目的とするものでなければならないのであるが、争議によつて貫徹しようとする要求が、その実現によつて直接的に労働者の経済的生活の維持又は向上の結果を招来するものであると或は間接的にその目的達成に向けられるものであるとを問わず目的の適法性において差異はないと解すべきである。しかして労働組合の団結を保持すること若しくは労働協約の履行を求めること等もまた間接的に右の目的に適うこと勿論であるから、労働組合の団結に対する侵害を排除することを目的とする争議若しくは労働協約違反を攻撃するための争議も適法である。」（杉田屋印刷事件、東京地決昭三〇・六・三〇労民集六・四・四八四）。

したがつて、クローズド・ショップやユニオン・ショップ等の組合保障協定の締結を要求し、または組合保障協定の存在を理由に被除名者の解雇を要求する争議行為も正当である。

【37】「そこで組合は組合員の団結権を擁護する立場から、組合を除名せられた右五名につき、会社に対して解雇の要求を為したのであるから、之は正当な要求であるというべく、従つて本要求も亦争議行為の正当な

目的となり得るものである。」（三石耐火煉瓦事件、大分地臼杵支判昭二九・一〇・二〇労民集五・六・六二八）。

もつとも、裁判例は、組合保障協定が存在しない場合に、被除名者の解雇を求めて争議行為を行うことは、間接的に組合の団結権擁護その他組合員の経済的地位の改善を目的とするものでない限り、その目的において違法性を帯びるものとされる。組合保障協定の有無によつて、労働者の固有の自由保護の利益において差異があるものとされるのであろうか。

【38】「……本件においては、クローズドショップ又はユニオンショップ協定の存在しないことは当事者間に争のないところであるから、使用者が労働組合に対し組合から除名されたことを理由として従業員を解雇すべき協約上の義務を負担していないものというべきであるので、組合が会社に対して組合から除名された従業員の解雇を目的とする争議はそれ自体から直に争議が正当の目的を有するものと解することはできない。然しながら争議の直接目的が従業員の解雇を要求することに在つても間接的に組合の団結権の擁護その他組合員の経済的地位の改善を目的とするものである以上争議を違法視すべきではない……。」（前掲杉田屋印刷事件）。

協約上の非組合員の範囲をめぐつて労使の間に解釈上の対立があり、特定の労働者の組合員への繰入れを要求することも、団結組織の拡大を目的とするものであつて、違法な争議目的とはいえない。

【39】「組合は、前記認定のように右二十六名を協約第七条〔非組合員の範囲―筆者註〕にいう臨時工ではないと考えていたが故に、当然組合に加入せしめ得るものとして取扱つたまでのことであり、その上で更に本工員えの繰入れを要求したものであつて本件の如き場合は他に特段の事由のない限り之を違法な措置と見るべきではない。又本工員えの繰入要求を通じて、臨時工の概念内容の決定、同時に右二十六名を組合に加入せしめたことの可否も併せて決定せられることであるからこの要求自体を協約違反と見ることはできないので、本要求も亦争議行為の正当なる目的となり得るものといわなくてはならない。」（前掲三石耐火煉瓦事件）。

（二）　加害目的の争議　争議行為が相手方もしくは第三者の権利をことさらに侵害することのみを目的とし、あるいは使用者の権利を害することを目的としたものとはいえないとしても、なんら具体的な主張をせず、もしくはその主張を絶えず変更して、もつぱら使用者を苦しめることのみを目的とする場合には、正当な範囲を逸脱するものといわねばならない。ただ、この判断はきわめて微妙であり、相手方の態度や労使双方の立場、さらには争議行為の行われた時期等あらゆる関係を総合的に考慮して決定することを要する。したがつて、つぎのような場合は、それが無目的争議であり、使用者を混乱させることのみを目的とした違法なものとはいえない。

【40】「前記のように埼玉労組は三月九日に賃上要求書を提出し、また三労組統一交渉が行詰つて各労組が交渉することとなつた際も賃上要求について団体交渉を求めているのであつて、再度の要求において具体的な提案はないが、その要求が当初の要求書を基礎とするものであることは交渉の経緯から会社も容易に知り得るところである。従つて、本件争議が正当の目的のないものであつて、会社を混乱させることのみを目的とする争議であるということに当らない。」（本田技研工業事件、東京地決昭三三・一一・二四労民集九・六・一〇一三）。

また、争議行為が連続して長期にわたり、このため会社側の蒙むつた損害が多額にわたつたとしても、そのことによつて当該争議行為が違法となるものではない。

【41】「『ストライキ』が連続して長期に及んだためこれに因る損害が多額に上つたというだけで正当な『ストライキ』が違法化することはないと考える。」（電気化学工業青海工場事件、新潟地判昭二四・九・三〇労働資料七・三八）。

## 三　争議方法の正当性

争議行為が正当であるためには、その目的が正当であるほか、それを達成するためにとられる方法、すなわち手段ないし態様が正当であることを要する。争議行為の手段、態様は複雑であり、その正当性についての一般的基準を示すことは困難で、けつきよく労働者に争議権を認めた法の精神を具体的に実現するという観点から、各個の行為について判断するほかはないが、まず、争議行為の全体的態様からみた正当性の問題を考察してみることにする。

（一）　争議行為全体としての評価　争議行為は労働者の団体の統一的、組織的な活動である。そこで、争議行為の態様が正当かどうかの判断として、当該行為がかかる統一的、組織的性格を有するか否かが一つの基準となる。

【42】「正当な争議行為となすには、労働組合あるいは少なくとも争議団として一つの統一的な組織的争議行為であることが必要であつて……。」（日本化薬厚狭作業所事件、広島高判昭三四・五・三〇労民集一〇・三・五三一）。

このように、争議行為の正当性の評価は、統一的、組織的な活動としての争議行為全体について判断すべきものであるから、争議行為中に生じた偶発的事故や、争議行為に参加した少数組合員の不法行為によつて、当然に全体としての争議行為が違法となるものではない。しかしながら、このような個別的な違法行為が繰返され、全体としての争議行為に影響をもつような場合には、争議行為そのものが違法となる場合も考えられる。

【43】「前記認定のように、組合指導者の態度が余りに闘争的であつたがために、争議に際して、しきりに違法な行為が繰返され、従つて争議行為の総体が暴力的傾向を帯びる場合には、右争議行為を全体として違法とみなければならない。」（淡路産業事件、神戸地洪昭二五・七・一一労民集一・四・四九五）。

そして、その具体的な事例として、つぎのような場合は争議行為が全体として正当な範囲を著しく超えるものとされる。

【44】「以上説明したように、本件争議中、組合は会社が工場の秩序維持のため、しばしば組合に対してなした正当な申入に全く耳をかさず裁判所の仮処分命令をもふみにじつて、立入禁止区域殊に建物内まで多衆で壇に侵入横行し、或は坐り込みを行い、或は、事務室を包囲し、或は四日間に亘つて建物の一室を占拠し、交換台を占拠し、限度を超えた団体交渉を強要して組合の要求の承認をしつように迫り、また会社幹部を畏怖のため、五月三十一日から六月三日夜半まで、事務所に留まらざるを得ない状態に陥れ、その間会社の幹部その他に対して多くの暴行脅迫を敢て加え、また応援団体や行動隊員の或者は、暴力をもつて第二組合員の復帰の強要や課長のいわゆる吊上を行い、又はそれに加担しているのである。およそ暴力を伴う団体行動が正当な組合活動といえないことはもちろんであり（労組法第一条第二項但書）右に述べたような幾多の不法行為を伴う争議行為は全体として正当な組合活動の範囲を著しく超えていることは明白であつて……。」（品川白煉瓦事件、東京地判昭二九・八・三〇労民集五・五・五一六）。

### （二）　団体交渉を経ない争議行為

争議権は、制度上労働者の生存権を具体化するための手段としての意味をもち、第一義的には特定の使用者に対する関係を予定し、そこにおける労働諸条件の維持改善をはかることによつてその目的が達成せられる。したがつて、争議行為は原則としては、団体交渉の行きずまりを打開するための非常手段的意義を加味していることになるところから、充分な団体交渉をなすことなく、争議行為の手段に訴えることは、争議権の濫用として違法となるのではないかという問題が提起される。この点について直接的な判旨をしたものはなく、つぎの裁判例はこの点に一応の留保を示しながら、残業拒否の争議行為が、これを違法とする前提要件たる残業協定が存在しないことを理由に、その正当性を判断しているに止まる。

【45】「もつとも、申請人等が、被申請人会社との交渉をもつことなく、直ちに残業拒否の態度に出たことは、信義則に背くといえないこともないが、その残業は、被申請人会社と前記労働組合との協定に基くものではなく、会社の慣行によつて行われてきたものであるから、申請人等に法律上そのような残業を強制するということはできないのであつて、それゆえ、残業拒否を違法とする前提要件を欠いているというべきであり、従つてその信義則違反ということも問題とならない」（宝製鋼所事件、東京地決昭二五・一〇・一〇労民集一・五・七六六）

しかしながら、会社側から主張の対立を妥解するための団体交渉の申出でがありながら、これに応ずることなく争議行為に訴えることは不当であるとされる。

【46】「昭和二十三年七月申請人は、被申請人に対し、新基準賃金と共に新労働協約案を提示し、被申請人に協議を求めたが之に応ぜず、逆に本件行為に及んだことを認め得べく、かかる場合、何ら折衝に入ることなく、直ちに争議行為に及ぶが如きは相当なりといい難い。」（月島機械鶴見工場事件、横浜地判昭二四・三・日付不詳、労働関係民事事件裁判集三・二二）。

もつとも、かりに団体交渉を継続してみても、とうてい自己の主張が容れられないことがはじめから明らかな場合には、団体交渉を重ねることなく争議行為を行つたとしても、これを違法となしえないことはいうまでもない。

【47】「被申請人は、組合員が春分の日を休日にしてくれと要求したのは、前日の午後であつて、会社と充分交渉したとはいえないし、又組合大会後、会社側と交渉せずに、直に翌日休んだのは、万全の措置をとつたものとはいえないと主張し、交渉が充分つくされなかつたのは、前認定により認められるが、又前記認定によれば、三月二十日午後の交渉において、会社側は、強く組合側の要求を拒絶し、到底その要求がいれられないような状況にあつたといいうるから、組合側が更に交渉を重ねることなく直に争議行為にでたとしても、それ

をもつて違法な争議と断ずることをえない。」（昌運工作所事件、横浜地判昭二五・六・六労民集一・四・五〇一）。

【48】「……のみならず控訴会社の側においては既に六月二十九日両名解雇の決定をしており、組合が団体交渉を試みても到底組合の要求は容れられない状況にあつたのであつて、かかる状況の下で組合が十分団体交渉をしないで争議行為に入つたからといつて強ちにその不信を責めるのは酷に失する。」（高知新聞事件、高松高判昭三二・六・一一労民集八・三・三七）。

（三）無通告の争議行為

(1) 抜打ちスト　労働組合が争議行為をしようとする場合の通告義務に関しては、争議行為が発生したときは直ちにその旨を労働委員会または都道府県知事に届けでることを要し（労調法九条）、また、公益事業の場合にあつては、その争議行為をしようとする日の少なくとも一〇日前までに、労働委員会および労働大臣または都道府県知事にその旨を通知しなければならない（労調法三七条）とされているほかは、とくに使用者に対する関係においてはなんら規定されるところがない。したがつて、使用者に対しなんらの通告なくして行う争議行為、すなわちいわゆる抜打ちストについて、その適法性の問題が争われることになるが、元来、争議行為の通告は、労働組合の使用者に対する手続上の問題と考えられ（労働協約の平和条項違反の争議行為については後に述べる）、争議行為の正当性を決定するための要件をなす本質的なものとはいいえない。

【49】「……本事件当時は無協約状態にあつたというべく、そして使用者に対する争議通告は、それが労働協約中に平和条項として規定されてある場合は格別、組合の使用者に対する手続上のことに過ぎず、正当な争議行為の要件をなす本質的なものではなく、且つ争議通告をなすことが組合会社間の慣行的事実であることの

疎明もないから、本遵法闘争実施にあたり単に会社乃至作業所に対しその通告がなかつたということから、直ちにそれが争議行為として正当性を欠くということはできない。」（日本化薬厚狭作業所事件、広島高判昭三四・五・三〇労民集一〇・三・五三一）。

まして、すでに団体交渉を重ね、あるいはもはや団体交渉を継続したとしても労使の妥結が容易でないことが客観的に明らかであるような場合に、無通告の争議行為にでたことをもつて、これを不当視することはできない。

【50】「又被申請会社は時間外手当の支給を拒んだのではなく、事務手続上僅か一日の猶予を求めたのにすぎないのに、一斉休暇というような手段をとつたことは信義則に反し違法であると云うが、被申請会社が当然分つている給与支払日に手当を支給しなかつた事は、決して単なる偶然の事務上の怠慢であつたにすぎないとは考えられず、事実申請人等は前記認定のとおり徹夜に及ぶ交渉をしても遂に被申請会社から会社として時間外手当を支給する旨の決定乃至確答を得られなかつたのであつて、問題は単純な一日二日の支払時期の遷延の問題とは全く別個の性質のものであつたと考えられる。その上……申請人等従業員は従来給与面で被申請会社に期待を裏切られること多く、会社に誠意ありと信じていなかつたと認められるので、申請人等が本件要求を提出した後の段階に於て、なお且つ本件一斉休暇を差控え会社に対し数日間の猶予を与えるべきであつたと云うことを、右申請人等に期待し要求することは困難である。」（奈良観光バス事件、奈良地判昭三四・三・二六労民集一〇・二・一四二）。

【51】「争議の予告直後争議行為に入つた点については埼玉労組としては従来の例に照し本社労組、浜松労組の妥結後は要求を通すことが困難と考えその前に要求貫徹の強硬な決意を会社に知らせ団体交渉を有利に進展させる作戦に基くものであることを看取するに難くないので、埼玉労組と会社との妥結が容易に予測できない客観状勢に照し不当に早期に争議行為に突入したと見るに足りない。」（本田技研工業事件、東京地決昭三三・一一・二四労民集九・六・一〇一三）。

【52】「会社は組合が行つた右ストライキについて、無通告の抜き打ちストであるから労働慣行に反すると主張するが、口頭による通告のなされたことは右に認定したとおりであり、且つ団体交渉の申入後短時間のう

ちに組合がストライキに突入したことは叙上のとおりであるけれども、それは、団体交渉の申入に対し実力を用いて組合役員を構外に追出し組合員の退去を求める言動に出た会社側の態度が、組合をしてかかる形態のストライキに追いこんだものと認めるのが相当であるから、これを不当視することはできない。」(布施交通事件、大阪地判昭三三・七・一七労民集九・四・四九二)。

なお、右の事例からもうかがえるように、もともと団体交渉が行われ、その間に平和的解決が困難であることが予想されるような事情にあれば、そのこと自身争議行為発生の可能性を意味するものとみることもできるのであつて、次掲の裁判例は、この点に触れて抜打ち争議たることを否定する。

【53】「控訴人は本件争議は要求事項につき一回の団体交渉もないまま抜打的に行われた違法がある旨主張するのであるが、組合が昭和三十一年七月二日控訴会社に対しX、Y両名の解雇撤回を申入れたことは当事者間争なく翌三日この要求事項につき団体交渉が行われたことは成立に争ない疎甲第二十七、二十八号証……により疎明されるところであつて、又控訴会社がこの要求を拒否したことは当事者間争なき事実であるから、争議目的にして違法ならずと解せられる以上、本件争議を抜打争議と見ることは出来ぬ。」(高知新聞事件、高松高判昭三二・六・一一労民集八・三・三七三)。

このように、多くの裁判例は争議予告を手続的なものと解するか、もしくは四囲の状況から判断してとくに予告を必要としなかつたものと解して、抜打ちストそのものは違法ではないとしているのであるが、つぎの裁判例は、病院という事業の特殊性にかんがみ、公益上使用者として抜打ちストの責任を問うもやむをえないとした珍しい事例である。なお、本件の争議行為は一斉休暇としてなされたものであり、かつ、次項に述べる旧労働関係調整法第三七条に違反するものであつた(【56】参照)。

【54】「およそ、医療業務に於ては一般企業と異り、その業務運営の如何は直ちに患者の加療、ひいてその身体、生命の安全に重大な影響を及ぼすものであるから、その使用者、ならびに従業員が争議権の行使につき特に慎重でなければならないことは、労調法の規定をまつまでもない当然の事理といわなければならない。従つて、医療事業にほんらい課せられたような制約を無視して行われた申請人組合の本件争議行為は、労調法第三十七条の規定をはなれて考えても、それ自体正当な組合活動の範囲を逸脱するものといわなければならない。そこで、右のような本件争議行為の性質と労調法違反の事実とをあわせ考えると、被申請人病院が、かような不当な争議行為を指導実施し、医療業務の運営を脅かした申請人X、Yに対し、雇用関係を継続し難いとして解雇したことは、入院患者及び一般公衆の医療につき、公益上の責務を負担する使用者としてやむを得ない措置というほかなく……。」（市原病院事件、東京地決昭二七・一二・一一労民集三・六・四九七、なお病院の争議行為の制約については【173】【174】参照）。

(2)　労調法第三七条違反　労働関係調整法第三七条の予告期間を遵守せずして争議行為が行われた場合に、使用者は同法違反を理由として懲戒解雇をなしうるかについては、つぎのような二つの立場がみられる。

第一は、同法に違反する争議行為も全面的に正当性を失うものではなく、その禁止の趣旨はもつぱら公益保護の点にあるとするものである。

【55】「そこで、前記争議行為が果して労働関係調整法第三十七条の規定する予告期間の制限を恪守したかどうかが問題となるのであるが同条は本来公益保護のために設けられた規定であるから、同条違反の争議行為が処罰の対象となる意味において違法であることはいうまでもないとしても、それが対使用者との関係において違法となるか、いいかえれば、被申請人がそれをもつて申請人等の責任を問いうるかどうかは甚だ疑問である、といわなければならない。」（新潟精神病院事件、新潟地決昭三一・八・一〇労民集七・四・七七三）。

第二の立場は、同法条が保護しようとする法益は、直接的には公共の権益であるとしても、そのことによつて同時に公益事業自体もまた法によつて保護されているわけであるから、対使用者との関係においても無関係ではありえないとするものである。つぎの事例は、いずれも、争議を開始するための要件として、労働委員会に調停の申請をなし、もしくは労働委員会が職権調停の決議をした日から三〇日の冷却期間をおくことを要する旨を定めた昭和二七年七月の改正前の旧労働関係調整法第三七条違反の争議行為に関するものであるが、

【56】「申請人らは、同条違反の争議行為は公衆に対する関係においてだけ違法であると主張するが、右のように刑罰法規により禁止される争議行為を、使用者に対する関係においては正当な組合活動とみなすことは、法秩序全般の精神からしても肯けないばかりでなく、同条は公益事業の運営を急激な阻害から守ることによつて、公衆の利益を保護しようとするものであるから、その限りにおいて公益事業自体もまた法の保護するところというべきであり、従つて同条に違反する争議行為は使用者に対しても違法な行為というほかはない。そればかりでなく、公益事業の使用者は、その公益性に由来する種々の法的社会的制約に服させられ、その争議行為をも制限せられているのであるから、その反面公益事業の運営を確保するために、労調法第三十七条に違反する争議行為を行つた従業員に対し、その責任を追求し得るものと解さねばならない。」（市原病院事件、東京地決昭二七・一二・一一労民集三・六・四九七）。

【57】「新潟地区が本件争議をなすには改めて労働委員会に対して労調法（旧）第十八条の規定による調停申請をなし、その日から同法第三十七条所定の冷却期間を経過した後でなければならなかつたものと云はざるを得ないのである。さすれば……右調停申請をなさずして行はれた本件同盟罷業はこの点において違法たるを免れないのであつて、申請人等が組合の幹部としてかかる争議行為を指令し且つこれを指導した行為は組合の

正当な行為をしたものとは云ひ得ないのである。」（日本通運事件、新潟地決昭二六・八・三一労民集二・四・四〇三、同旨大分交通事件、大分地判昭二四・二・一六労働関係民事事件裁判集三・二八）。

つぎの裁判例は、従業員の職場離脱に関するものであるが、右と同様懲戒解雇を適法としている。

【58】「原告等は同月二十六日頃前示北海道新得機関区の職場離脱者の来訪を受けてその誘導により、相謀り前示職場離脱に同調することを決し、当時原告等は労働関係調整法第三十七条に基き労働争議権を取得していないにも拘らず被告主張の一乃至八のとおりそれぞれ無断欠勤し、且つ所属上長の就業命令に反して出勤しないのみならず、その行方をも知らせなかつたことを認めるに十分である。してみると原告等の右行為は国有鉄道服務規程……（に違反すること）明かであつて、しかも原告等は当時前示のように、それぞれ機関工、機関助士として列車に乗務すべき職責を有し又は右に密接な関係ある重要職責を有していたのであるに拘らず、右認定のとおり通謀して無断欠勤して行方をも不明にしていたのであるから、原告等を解職処分にしたのは少しも違法ではない。」（国鉄盛岡管理部事件、盛岡地判昭二七・三・一七労民集三・二・一五二）。

公益事業に従事する労働者は、単に公衆に対してのみならず、使用者をして公共に対して負担する社会的義務を尽くさしめる義務をも負うものと解すれば、争議行為を行うに当つて前記のごとき法令の制限を無視することは懲戒解雇に該当するとの評価を受けてもやむをえないとの考え方も成り立ちうるであろうが、労働関係調整法第三七条に違反する争議行為は、同法第三九条の罰則規定との関連において制約されたものと解すれば、かかる刑事制裁は公益維持をもつぱらその目的としたものとすることによつてはじめて理解されるのであり、第一の立場を妥当と考える。

（四） 組合規約違反の争議行為

(1) 労組法五条二項八号の趣旨　労働組合法第五条第二項第八号は、組合規約の記載事項の一として、「同盟罷業は、組合員又は組合員の直接無記名投票により選挙された代議員の直接無記名投票の過半数による決定を経なければ開始しないこと」の旨を含むことを要するとし、かかる規定を欠く労働組合に対しては、労働組合法上の手続および救済に関し保護を与えないとしている（労組法五条一項）。労働組合の組織的行動たる争議行為が、民主的に形成せられた組合員の多数意思によつて支持されない限り、使用者に対する強固な対抗力とはなりえず、したがつて、右のごとき法規の有無にかかわらず、労働組合がこのような方法で争議行為の開始を決定すべきものであることは、組織体の民主的性格の要請から当然のことといわねばならないであろう。この点につき、労働組合法第八条第二項第八号のもつ性格について、つぎのように判旨するものがある。

【59】「思うに労働組合法が、同盟罷業の開始に付ては組合員又は組合員の直接無記名投票により選挙された代議員の直接無記名投票の過半数によるべき旨を定め、この規定に適合した規約を設けない労働組合には法内組合としての資格を与えないことにしているのは、労働者に与えられた争議権の内でも同盟罷業行為は他の種の怠業行為と違つて使用者並に第三者に与える影響が重大であるから、かかる重大な行動に入るためには特に組合員の過半数による直接の意思決定を要することとし、組合員多数の意思に反して一部の闘争委員会その他の決定だけでこの行為に入ることを防ぎ、役員の専制を抑えて組合の民主化をはかろうとするものと解すべきであり、この趣旨はそもそも人の集りである社会的組織体が団体としてその意思を決定し団体としての行動をとる場合には当然適用される社会的な原則であるといはねばならない。」（日本通運事件、秋田地判昭二五・九・五労民集一・五・六八三）。

ところで、労働組合法は、組合員の多数意見を示す手段として、「組合員の直接無記名投票」というもつとも厳格な手段を要求している。しかし、多数意思の表明は必ずしもこのような方法によらなければならないものではない。そこで、労働組合法第五条第二項第八号によつて組合員の直接無記名投票を要求せられる「同盟罷業」の意義が問題となり、【59】においても、そこにいう「同盟罷業」とは、怠業等の争議手段を除く狭義のいわゆるストライキに限定しようとするもののようであるが、この趣旨をとくに明示したのは、つぎの裁判例である。

【60】「労働組合法第五条第二項第八号の規定において組合員の投票による賛成を必要とされているのは同盟罷業を行う場合のみであつて、その他の争議行為についてはこれを要しないものと解するを相当とすべく……。」（日本化薬厚狭作業所事件、広島高判昭三四・五・三〇労民集一〇・三・五三一）。

しかし、いずれにせよ、労働組合法による組合規約の記載要件は、労働組合法上の手続・救済資格の問題にすぎない。したがつて、通常いかなる方法によつて争議行為を開始するかは、組合規約に記載されたところの手続によることになる。

(2)　組合規約違反　　争議権行使に関する意思決定が、組合規約に従つてなされなかつた場合の争議行為については、二つの場合を考えることができる。

第一は、組合自体が規約上の手続に違反して争議行為にでる場合、たとえば、争議権行使の意思決定につき、組合大会の決議を要する旨の規定があるにかかわらず、大会の採決を経ることなく、中央委員会あるいは中央執行委員会の指令にもとづき争議行為の開始が決定されたような場合である。

この場合、まず組合規約に違反する争議行為の開始といえるかどうかの前提として、規約自体の解釈が問題となる。この点につき、つぎのような裁判例がある。

【61】「組合規約第九九条第一項にも『罷業権の発動及び停止は組合員の直接無記名投票による投票総数の三分の二以上で全組合員の二分の一以上の賛成を得なければならない。』と定められてあるが、同規約にいう『罷業権の発動』のうちに同盟罷業以外の争議行為も含まれると解すべき理由はないし、……且つ、争議行為としてのその形態や組合員のおかす賃金上の危険の度合からして、同盟罷業とは同視し得ない遵法闘争についてもスト権の確立を経なければこれをなし得ないとすることは不当に組合活動を制限するものと考えられ、且つ理論上からも首肯し難いところであるから、本遵法闘争が四月二日のスト権確立前の本部指令に基いて行われたことを理由にこれを違法な争議行為ということはできない。」（日本化薬厚狭作業所事件、広島高判昭三四・五・三〇労民集一〇・三・五三一）。

この判旨は、すでに述べたように（【60】）、労働組合法第五条第二項第八号にいう「同盟罷業」とはいわゆる狭義のストライキに限られるとの前提に立つものであり、したがつて、同法以上に厳しい制約を課した組合規約上の争議行為は、かかる同盟罷業に限らるべきであるとするのであつて、注目に値する。

つぎに、争議行為が組合規約に違反して行われた場合に、規約の手続上の違反を厳格に解して、

【62】「法規の根本趣旨並に団体の意思活動に関する社会的な根本原則は右の如くであり（前【59】参照）、而も全日通労働組合に於ては組合自体のみならず、新潟地区、秋田支部、秋田分会に於ても各々その規約中に右の労働組合法の規定に対応した規定を置いていることを考え併せるならば、本件に於て新潟地区がその組合員若くは組合員の直接無記名投票によつて選挙された代議員の直接無記名投票の過半数による意思決定を行うことなく争議行為に入るべき旨の指令を発したこと並にこの指令を受けて秋田分会に伝達した秋田支部が右のような意思決定の方法をとらなかつたことは当然違法であるといはねばならない。」（日本通運事件、秋田地判昭二五・九・五労民集一・五・六三八）。

とする判旨と、

【63】「……秋田支部規約第四十条の規定によると『同盟罷業は組合員又は組合員より選挙された支部代議員の直接無記名投票の過半数の賛成を得て開始する』とある。申請人らの主張は明かにこの規約に反することは疑のないところであるが、ストライキに突入した班の争議行為が秋田分会自体のものか、或は一部組合員の争議行為によるものかについて結論が異るのでこの点について考えるに、本件ストライキは秋田分会所属組合員八百余名中合計二百七十九名の賛成者を出したに過ぎないところ、これを使用者との関係において考え、また、前示かしある決定もストライキが統一性を保ち団体交渉の責任主体と争議行為の責任主体とを明かにする限り、組合内部における規約違反の責任問題を生ずるに止まり、ストライキ自体は違法なものとはならない……。」（日本通運事件、秋田地決昭二六・六・一一労民集二・二・一一三）。

とする判旨との対立がある。

おもうに、右のような争議行為であつても、それが事実上組合員の過半数の支持を受けており、統制ある行為として行われている等、そこに団結意思を認めることができる場合には、使用者に対する関係においては正当な争議行為というべく、この要件を満たす限り、組合規約が遵守されたか否かは組合内部における統制の問題たるにすぎないものとするのが相当であると解する。

第二に、これに反し、組合幹部の指令が多数組合員の支持をえず、統一ある組織行動とならなかつた場合とか、一部組合員が組合規約に違反して争議行為にでた場合などは、次項に述べる山猫争議としての性格をもつことになる。

なお、いかなる場合に、過半数の支持をえたものといいうるかに関して、採決の方法をめぐつて争われたものとして、つぎのような裁判例がある。

【64】「そして、この際の採決が投票によつたとの点に関する前顕被告代表者Xの証言部分は措信し難いけれども、仮令、これが原告主張のように挙手の方法で行われたとしても、……罷業権の行使及びその中止については、その必要的賛成数のみ規定されていて、その方法については何れなりとも規定していないのみならず、組合規約はもともと組合内部に関する規定であるから、採決方法につき特に明定していない以上挙手の方法も、また、有効な方法と認むるを相当とする……。」（電気化学工業青海工場事件、新潟地判昭二四・九・三〇労働資料七・三八）。

これに対し、

【65】「秋田分会が秋田分会として意思を決定するには、秋田分会所属の組合員全員の直接に表明した自由な意思をまとめた上でのことでなければならない。本件に於て秋田分会はストライキ決行の可否に付て各班毎に投票を行つて各班毎に意思を決定しこれをとりまとめて秋田分会としての意思を決定しているけれども、このような方法は組合員全員の直接に表明された意思をまとめたものであるとは認め難い。何故なら、もしもかくの如き方法をとる時は、秋田分会の各班中に於て過半数の賛成投票を得た班の数が過半数に達するならば、たとえ爾余の班に於て絶対多数を以て不賛成の投票が行われ、所属組合員個々の意思を集計すれば賛成者は組合員総数の半ばに達しない場合でも、各班毎の班としての意思決定の集計の結果として秋田分会全体としては賛成投票の方向にその意思を決定せざるを得なくなるであろう。このような結果を許すことは、組合員個々の平等な取扱いと組合の民主的な運営とを企図する労働組合法の精神に背き、秋田分会自らの規約にも違反し、民主的な団体に於ける多数決原理という根本的な原則にももとることとなるからである。」（日本通運事件、秋田地判昭二五・九・五労民集一・五・六八三）。

とするものがあるが、この判旨のように、組合員総数の個々の明示的意思表示を尊重するの余り、ストライキ賛成者が組合員総数の過半数を要するとすることは、通常団体の意思決定が「有効投票」の過半数をもつて決定されることと比較して、なお検討の余地があろう。

（五）　山猫スト

(1)　山猫ストの意義　　山猫ストとは、一部組合員または単一組合もしくは連合体の下部組織たる支部、分会などが、労働組合または上部組織の全体的な意思を無視し、組合規約、大会の決議または執行機関の指令などに違反して行う争議行為で、統制違反の行動である。したがつて、山猫ストか否かを判断する基準は、当該争議行為が組合としての統一的組織的行為といえるかどうかにある。

【66】「いわゆる山猫争議とは組合員の一部が組合全体の意思を無視し勝手に争議行為をなすことを指すもので、単一組合の下部組織であつても、それ自体組合としての組織と実体を備え、現地使用者側との間に団体交渉権限が認められている支部が組合全体として既に争議状態にある場合、特に本部の指令はないが、本部から派遣のオルグ指導のもとにその支部組合員に対し組合全体の意思に副うと認められる支部指令を発し、これに基き同支部が実施した統一的な組織的争議行為はこれを該組合の当該支部における正当な争議行為と解するを相当とすべく……。」（日本化薬厚狭作業所事件、広島高判昭三四・五・三〇労民集一〇・三・五三一）。

(2)　山猫ストの成否

（イ）　組合活動といいうるための要件　　労働組合の明示の意思に反して一部組合員が行動にでることが、統制違反の行為にあたることはいうまでもない。しかし、組合の指令ないし統制に反しないとするためには、必ずしも組合の明示的授権ないし承認を要するものではない。組合の黙示の承認があつたとみなされるもので充分である。

【67】「しかして右にいう職場会議、協議会又は懇談会なるものは組合の正式機関とは認め難いけれども、

前記証拠によれば、組合の意思に反するものでなく、組合の黙示の承認の下に日常の組合活動をなすための職場における組織と認められるので、右会をとおしてなした申請人らの前記活動は組合の黙示の授権に基く常例的組合活動と見るべきであつて、もとより正当なものに外ならない。」（米軍羽田輸送部隊事件、東京地判昭三二・一〇・一五労民集八・五・七五六）。

同様に、当該行為の性質上当然に組合の活動としてなされるべきものであることが明らかであるような場合にも、これをもつて組合の意思に反する不当なものということはできない。

【68】「一般に組合が組合員の団結の拡大強化を図るためになす行動が組合活動であるためには組合の授権又は承認を要するものであるが、このような授権又は承認は組合の明示の意思決定を常に必要とするものとは限らず行為の性質により組合の団結を擁護するものであることが明白であり且それが日常なされているものであるときは、組合は黙示に授権を与え又は承認しているものと解するのが相当である……。」（駐留軍追浜兵器工場事件、東京地判昭三一・一〇・一〇労民集七・五・八九五）。

【69】「もつとも組合員の行動が組合活動といい得るためには常に逐一組合の具体的な意思決定に基くことを必要とし、その決定のないものは組合活動とはならないという趣旨によるものではない。蓋し組合活動にも事の性質上軽重の差のあることはいうまでもないところであり、労働常識上日常の組合活動と目される性質の行動であつて、その都度組合の意思決定を待つまでもなくその授権あるものとして組合活動の取扱を受ける一群の類型に属する行動の存することは労働慣行に照し疑を容れないところである。」（昭和電工川崎工場事件東京地決昭三一・八・一五労民集七・四・七〇八）。

（ロ）　山猫ストにあたらぬ場合　ある争議行為が果して山猫ストといえるかどうかの判断は、具体的にはかなり困難なことも少なくないが、右に述べたような趣旨からみて、つぎのような場合には、いわゆる山猫ストにあたらないものとされている。

【70】「組合は昭和二九年二月五、六、七日の中央委員会において春斗賃上要求についての闘争方針を決定し、該決定に基き、中央闘争委員会は三月三日付桜指令第二号を発して各支部に対し組合員の一般投票によるスト権確立までの闘争組織の強化方針を示し、時間外労働休日出勤の拒否、遵法闘争その他の非協力闘争を各職場会議のなかから生み出すべきことを指示し、右非協力闘争の具体的実施指導のために中闘委員をオルグとして各部に派遣したこと、厚狭支部では三月一二日の支部闘争委員会においてオルグとして派遣されたX中闘委員の指導により前示電動車のベル取付要求を遵法闘争として行うべきことを決定し、一七日の同委員会においてその実施を一八日とし、サービス労働拒否の建前から始業時刻前には電動車を発車させないこと始業時刻になつてから電動車係に不完全なベルはこれを修理させ、又ベルのない車輌にはベルを取付けさせることなどその具体的実施方法を協議し、翌一八日前記のようにこれを実施したことが認められるから、本遵法闘争は本部の指導に基きその統制の下になされた正当な争議行為ということができる。」（日本化薬厚狭作業所事件、広島高判昭三四・五・三〇労民集一〇・三・五三一）。

【71】「債権者X、Y、Zらが他の第三職場及び第四職場の多数の従業員とともに許可なく職場を離れることは職場離脱として職場規律を乱すものという外はないが、……当時会社の賃金遅配はますます甚しく、……同日は土曜日で従前も約束の期日に必ずしも支払われない状況にあつたので、第三、第四職場の従業員らが各職長に果して同日支払があるかどうかをたしかめたところ『金の都合ができないから今日は支払えない、来週になる』との話であつたので、この日の支払をあてにしていた従業員らは甚しい失望と不安におちいつて動揺を起し、会社に対する非難の声が高まつたこと、これに対し会社は組合を通じて適当な施策を示すこともなく、組合執行部も組合員を納得安心させるような特別の措置をとり得なかつたことが認められ、このような事情の下で従業員が自ら賃金支払の確保を求めんとするのは無理からぬところで、そのため職場大会を開き工場幹部との交渉を決議し、その行動を起すこともやむを得ないといわなければならない。……右の行動は直接組合執行部の決定にもとずくものではなく、それとは別個のものであつても、労働者は自己の賃金支払の交渉に必ず

しも組合の組織を通じてだけ行動しなければならないことはないのであつて、会社側がこれを分派行動として不当視することは理由がない。」（富士精密荻窪工場事件、東京高判昭二八・四・一三労民集四・二・一二二、なお同事件、最判昭三〇・一〇・四民集九・一一・一五三四参照）。

【72】「申請人Iほか三執行委員が残業中の機械課員の残業を中止させ帰宅させたことは前に認定したとおりである。会社は右は組合の指令なくしてなされた山猫争議と主張するが、前後の経緯よりみると、執行部の意思に基く争議行為と推認するのが相当であつて、指令、統制に背いてなされたいわゆる山猫争議と認むべき疎明はない。」（本田技研工業事件、東京地決昭三三・一一・二四労民集九・六・一〇二三）。

（八）　支部、分会の行為と山猫スト　　わが国においては、全国的な単一組合もしくは連合体の支部、分会は、独立の組織体として、組合規約または慣行により単一組合もしくは連合体とならび、あるいは独立して支部、分会固有の団体交渉権を有するのが通例である。したがつて、支部または分会がそれぞれ独自の固有の意思にもとづいて行う争議行為は、単位組合内の一部の組合員によつて行われる場合と異なり、組合内部の統制違反の問題が生ずる余地があるとしても、使用者に対する関係では、通常の場合の山猫ストに比較し、これを不当視する余地はほとんどないものと思われる。しかし、裁判例は、【73】のごとく、これを肯定するものと、【74】のごとく、支部、分会の固有の事項に関するものではなく、組合全体に関連する問題を要求事項とすることは、支部、分会としてはなしえないものであるとの立場がある。

【73】「弁論の全趣旨に照らし厚狭支部は日本化薬労働組合なる単一組合の一支部ではあるが、それ自体組合としての組織と実体を有し、厚狭作業所における労使間の諸問題につき広範囲にわたる強力な団体交渉権限を有するものと認められ、……支部指令により実施せられた本怠業は正当な争議行為と認むべきである。」（日本

化薬厚狭作業所事件、広島高判昭三四・五・三〇労民集一〇・三・五三一）。

【74】「ひるがえつて、本件についてみるに全日通のように全国的な団体にあつては独り全組合員にのみ利害関係のある事項ばかりではなく、或る一地域内の組合員についてのみ利害関係のある事項の存在することも亦容易に推測されるところであり、後者の事項について必ず上部単一組合だけが団体交渉乃至団体行動をする権利があり、下部組織体にはその権利は存在しないということができないのも亦当然の理である。この観点に立てば、新潟地区、秋田支部及び秋田分会と雖も前示の事項については独自の組合規約を有し、独自の活動をなし得る組織体ということができるが、それはあくまで前示特定事項に限定され、それ以外の事項については全日通の統制に服さなければならないのも亦論理の教えるところである。……而して右二項目が新潟地区内の組合員だけに特殊な利害関係ある要求事項であるとは考えられないし、その旨の疎明資料もない。従つて全日通傘下の全組合員に関係ある事項を全く別個な立場から提出したものであると認めざるを得ない。前示のような新潟地区、秋田支部及び秋田分会が全日通の指揮統制に違反する点はなるほど、組合内部の責任問題ではあろうが、全日通から脱退することなく、全日通内部の一団体たる資格において使用者に立向い、あえて、全日通対被申請人間の団体交渉を排除し、自己との交渉に応ずべく強制する点に本件ストライキの違法性の契機が存在するといえるであろう。」（日本通運事件、秋田地決昭二六・六・一一労民集二・二・一一三、同旨同事件、秋田地判昭二五・九・五労民集一・五・六八三）。

（二）　山猫ストにあたる場合　つぎに、組合の統制に反する山猫ストにあたるとされた裁判例をあげておこう。すなわち、

【75】「原告等が中闘の指令に基かず、分会における職場の指導者として、終業後或は就業時間中の職場において、職制の指示を無視或はこれに反抗し、恣意をもつて集合せる多数の職場組合員を指導或は煽動し、これに職場を抛棄させる等職場秩序を混乱せしめ……。」（三井造船玉野製作所事件、岡山地判昭三一・五・七労民集七・二・三〇四）。

【76】「しかして前記のとおり当時は亀有組合において賃上要求馘首撤回を掲げて闘争中であり、右のビラには組合の要求を貫徹しようとする趣旨の含まれていることが明かであるので、申請人の右行動（亀有細胞員ら十数名とともに輸送機械課職場へ赴いてデモンストレーションをした—筆者註）は一応組合活動のように見えないではない。然しながら……申請人は当時ストライキ実施中でなかつたに拘らず就業時間中自己の職場を離れて他の職場に赴いて前記のとおり煽動をなしたのであつて、その主要なる趣旨も前記組合の掲げる要求よりは寧ろ輸送機職場において、製作中の品は軍需品であるので、その作業を放棄せしめようとし、またその作業を督励するS組長を売国奴労働者の敵と誹謗し攻撃するにあるのであつて、また同課において開かれた職場大会において討議がなされS組長を個人として攻撃することの当否について採決の結果多数決をもつてS組長は売国奴などと非難されるべきでないことが決定されたこと及び同年五月十一日開かれた組合執行委員会においても申請人らの右行動について討議がなされ、組合員個人に対する批判は組合の機関において討議し、前記ビラ配布については日本共産党葛飾地区委員会に抗議する旨決議されていることが認められるので、右事実を総合して考察すれば申請人の前記行為は組合の活動方針に反し独自の見解に基く行動であつて……。」（日立製作所亀有工場事件、東京地判昭三一・四・二七労民集七・二・二四六）。

【77】「申請人組合では（労働委員会の）勧告案提示のことあるを予期し、二十五日午後四時頃代議員を集め臨時組合大会を開き、一応休憩に入つていたものであるが、前記の通り闘争委員会の結論を得た後（翌二十六日午前零時頃）これを再開し……討論の後無記名投票の結果九十七対四十二の多数をもつて、受諾に決した。……然るに右臨時大会に代議員として出席した者の一部と傍聴席にいた軌道課所属の組合員数十名のものらは、前記大会の決議を不満として大会場より直ちに引き揚げ、X町の会社寄宿舎構内の食堂に集結し、寮生多数を集合させ、ここに本件被解雇者十名を含む総計百五、六十名の集団を結び、勧告案受諾に対する不満から団結して闘争するの気勢をあげ、外部勢力の援助も手伝い、外来者の入室を禁じ種々闘争方法を論議し、二十六日

当日には全員一せいに欠勤することを申合せてこれを実行し、組合幹部及び軌道課現業係長等が面接を求めてもこれを拒否して入室させなかつたものである……。」（広島電鉄事件、広島地判昭二五・五・一一労民集一・追録・一二四四）。

【78】「而して八幡製鉄労働組合に於ては海岸運輸支部や一陸工務支部は独立の組合になつて居らず、支部員のストライキ等の実力行使に付ては凡て中央闘争委員会を代表する中闘長の指令に依らねばならぬようになつている事、中闘長の指令は支部闘争委員長に宛てて発せられる事及び本件集団欠勤が中闘長の指令を受けていないのは勿論中央闘争委員会の意向に反し且支闘長の承認を得ずして行われたものである事は冒頭引用の証拠上明白である……。」（日本製鉄八幡製鉄所事件、福岡地小倉支判昭二五・五・一六労民集一・三・三〇一）。

【79】「……一部従業員がその職場代表者等に動かされて所長等会社側幹部に面会し陳情書を提出すると称し集団をなして所長室前に赴いたのに端を発し、これを聞き伝えたその他の従業員がその附近に集合し座り込んだのであるが、その参加者はいずれも労働組合法第六条で交渉権限ある者とされている正規の組合代表でもなければ……、（組合幹部が）それ等陳情の内容を組合自体のものとして取上げ、自らその具体的内容について交渉する態度に出ておらなかつた等の事実から推すと、……労働者の正当な行為として特に法の認め保護している団体交渉に属する労働行為とはいい難いのであり、また右の行為に参加した者がその結果正規の就業時間に就業しないことがあつたとしてもそれは単にかかる陳情のため面会を続けたことから反射的に生じた結果であるに過ぎず、これを以て使用者が交渉の相手とすることができる代表者を備え、共通の目的のために団結した労働者がその具体的主張を貫徹することを目的としこれを使用者に提示し、その目的達成の手段として行う就業拒否であるべき争議行為と見ることはできない。」（三菱電機神戸製作所事件、神戸地判昭二五・五・八労民集一・二・二三六）。

【80】「暫定賃銀及び越年資金問題については総連において各加盟組合とこれに対応する経営者との個別的交渉に委せる態度をとつて居り従つて、前記罷業延期命令も亦この点に触れていなかつたが、大分交通労働組合としても、総連が越年資金については争議権なしとの見解をとつている関係もあり、越年資金要求貫徹のた

めには労働基準法厳守の方針を実践するほか特に罷業等の争議行為を行う計画は樹てて居らず、昭和二十三年十二月二十二日大分市若竹公園で行われた前記蹶起大会には単にメッセージだけを送り、参加するか否かは当日の状況如何で改めてきめることにしていた。併し当日申請人等が前認定のような行動をとりこのため多数の従業員が職場を抛棄して同大会に参加し又翌日国東鉄道乗務員が前記のように職場を抛棄するような事態は組合として全く予期してもいなかつたところで、勿論このような参加指令も諒解も与えていなかつた。」（大分交通事件、大分地判昭二四・二・一六労働関係民事事件裁判集三・二八）。

【81】「……組合幹部たる被申請人等は斯様な中央協定（紛争処理機関に関する規定—筆者註）の存在を知悉しながら、全くこれを無視し、組合の指令もないのに、四日夜両組合主催の下に高島協和会館において従業員大会が開催された席上、参集した従業員の会社に対する不満を利用し、別段従業員の間にスト決行の空気もないのに、被申請人A、B、C、D、E、F等においてこれ等の参集者に対し実力行使により断乎闘争すべきことを強調し、散会後被申請人Eにおいて、各職場代表約百二、三十名の残留を求めた上右被申請人等及び被申請人G、H等よりスト決行を慫慂煽動し遂に二十数名のものにおいて秘に四十八時間ストを決議するに至り、その結果ついに五、六の両日に亘り多数の採炭夫の集団的欠勤を生じさせた外、被申請人I、J、E等は、機会ある毎に、従業員に対し生産サボを行うべきことを励奨して、同月七日より二十一日頃迄の間、従業員をして生産サボを決行させ同月中約四千八百瓲の減炭を来させ、更に百万寮々生等が会社の措置に不満があるのを捉えて、組合の指令もないのに、被申請人A、B、D、F等は、これを煽動してその一部をストに突入させるに至つたことを一応推認することができる。」（三菱鉱業高島鉱業所事件、長崎地判昭二三・一〇・七労働関係民事事件裁判集二・三〇）。

などがあげられる。

### (3)　山猫ストの正当性

山猫ストは統制違反の争議行為であるとしても、それ自体は組合規約違反のストと同様、組合ないし他の組合員の団結権等を侵害する点の違法性を含むに止まつて、対使用者との関係では直接違法性の評価を生ずるものではないのではないか、という問題が提起される。しかし、裁判例はいずれも山猫ストをもつて違法とする。ただ、その理論構成の点において、各裁判例により若干の相違がみられるので、つぎにその主なものを挙げてみると、第一は、組合の有する組織強制の原理にその根拠を求めるものである。

【82】「被申請人等はかかることは組合内部の統制違反、規律違反の問題になつても外部に対してまでその行為を違法とすることはできないと主張しているけれども、凡そ団体が組織されて団体としての行動が行われる所には、当然或る範囲の組織強制が存し、団体員は団体員である以上、その範囲内での団体の統制を無視し逸脱することは許されないと解すべきであるから、被申請人等の主張はこれを採用することができない。」（日本通運事件、秋田地判昭二五・九・五労民集一・五・六八三）。

第二は、労働組合法および労働関係調整法の精神にその根拠を求めようとするものである。

【83】「申請人等は組合の統制に服すると否とは組合内部の問題で、労働法上正当な争議行為か否かに関係はないと主張するけれども、労働組合法及び労働関係調整法等の企図するところは、労働組合の健全な発展と活動を通じて労働者の地位の向上と労働関係の調整を計るにあることを考えるなら、本件のような労働組合が苟くも既に存する以上同組合の統制下に行われる争議行為だけが正当なものであり、組合の統制を逸脱して勝手に行われる労働者若くはその集団の争議行為は正当なものと認め得ないといわなければならない。」（大分交通事件、大分地判昭二四・二・一六労働関係民事事件裁判集三・二八）。

第三は、争議行為の合法性を、組合の組合員各個の労働力に対するコントロールの発現性に求めるものであつて、この点から支部、分会のストライキと山猫ストとはその合法性の判断において異なるものがあるとする。

【84】「いったい労働組合の正規の争議行為が合法とせらるる理由は労働組合の各組合員に対する統一的支配（学者の所謂コントロール）そのものが合法とせられ権利として認められるからであつて、例えばストライキが使用者に対する債務不履行にも不法行為にもならないのは免責法条の結果でもなく集団的な労務の停止自体に其合法性の根拠があるのでもなくそれが組合の、組合員各個の労働力に対するコントロールの発現なるが故に合法視せられるからである。……然るに本件集団欠勤は斯様な組合のコントロールとして現われた実力行使ではなく組合のコントロールに服しないで債権者等が勝手に行つた争議行為だから之を合法化すべき根拠を欠いて居り所謂山猫ストの一種として使用者に対する義務違反となるのである。……

以上の見解はそれ自身労働組合としての実体を有している組合支部が単一組合の指令を無視して為した争議行為が適法とせらるる場合があるのと矛盾しない。何となれば其の場合は其の単一組合と組合支部の各構造及び其の両者間の関係からして其の組合支部の争議行為の適法不適法を決する標準としてはそれが単一組合全体を通じた一つのコントロールの発現なりや否やに依るべきではなく、組合支部自体のコントロールの発現としての争議行為なりや否やに依るのが相当だと認められるからである。此の場合は組合支部が単一組合の指令に反した事が規約違反として問題になるだけで組合のコントロールの発現としての争議行為か否かが問題になるのではないから内部規律違反にはなつても、争議行為自体は違法にならないのであるが、本件のような場合は右青年部はそれ自体独立したコントロールの力を持つ事を認められていないのだから右の場合と区別しなければならない。」（日本製鉄八幡製鉄所事件、福岡地小倉支判昭二五・五・一六労民集一・三・三〇一）。

第四の立場は、使用者は労働組合との団体交渉を拒否することが許されないとする不当労働行為の本質からみて、労働組合を介しない交渉は労働者の団結権ないし団体交渉権の侵害となり、したがつて、労働者としても、組合意思の裏付けのない交渉を使用者に余儀なくせしめるような山猫ストは違法である、というのである。

【85】「一般に労働組合が結成せられているときは、労働者及び使用者は、原則として、労働組合を介してのみ交渉をなすべく、労働組合を介することなく、使用者が直接労働者と交渉することは労働者の団結権ないし団体行動権を侵害し、それゆえ不当労働行為（団体交渉の拒否）となるのである。……それゆえ、労働者の側から、使用者に対して交渉を求めた場合に、使用者がその交渉に応じた結果、それが使用者の不当労働行為（団体交渉の拒否）となるようなときには、使用者にそのような交渉を強いることは法律上許されないといわなければならない。従つて、使用者に不当労働行為を強制するような仕方で交渉すること、すなわち、個別的又は職場別に交渉をなし、又は、その裏付けとして団体行動（たとえば、職場ストライキ、部分的怠業等）に訴えることは違法であり……。」（宝製鋼所事件、東京地決昭二五・一〇・一〇労民集一・五・七六六）。

(4)　山猫ストと組合の追認

山猫ストの決定にあたつては、すでに述べたように、組合内部の権限ある機関もしくは組合員全員によつて実質上黙認ないし支援されているような事情にあつたかどうかが重要な要素となるが、その違法性は争議行為の時に確定せられるものであるから、その後において組合の正式機関により右山猫ストを組合のストライキとして追認したとしても、違法な争議行為が適法な争議行為に転換されるものではないとされている。

【86】「一体争議行為は使用者に対しては勿論一般公共の利益に対しても重要な関係を持つものであるから争議行為が正当であるか否かは争議行為の時に確定するものと解すべきであつて、前示の如く或争議行為が其行われた当時に於ては到底労働組合の正規の争議行為たる実質を備えず、又組合の正式機関に於ても之を正規の争議行為と認むる意思が無く却つて其禁止令迄出して置きながら後に至つて其の争議参加者が山猫争議の参加者として処断せらるるのを防ぐ目的で之を追認する決議をしても之に依つて―組合の内部関係に於て組合員の責任を解除するは格別―違法な争議行為が性質を変じて適法な争議行為となるものではない。」(前掲日本製鉄八幡製鉄所事件)。

(六)　個人的行為と組合活動　労働組合の組合員が個人の立場で行う行為は、一応労働組合とは無関係のものであるから、組合活動ということはできないであろう。しかし、すでに述べたように、組合員の行動が組合活動といいうるためには、常に逐一組合の具体的な意思決定にもとづくことを必要とするものではないし、組合員ごとに組合幹部の行う行為は、たとえ個人的立場で行われたように見えるものであつても、それが組合員の団結を促し、労働者の経済的地位の向上をはかることを目的としてなされる場合も多く、したがつて、主観的にも客観的にも組合自体の意図と合致する場合が少なくない。こうした場合に、その行為が単に組合自身の行為でないからといつて、直ちにこれを不当視することは許されないであろう。

たとえば、会社および会社幹部の不正行為を摘発するような行為は、それ自体は本来組合活動ということができないとしても、人員整理にあたり、企業合理化の必要性がないことを主張するためになされたような場合には、これをもつて組合活動と全く無関係なものとはいえない場合が少なくない。

【87】「被申請会社は、申請人X、同Y主張のような不正摘発行為は客観的には労働組合の行為といえない

から、それを理由に解雇しても不当労働行為にならないと主張する。なるほどそのような不正摘発行為は労働組合本来の行為とはいい難いけれども、そのことから間接に労働者の地位の向上が図られることもあり得るから、特に不当の目的でなされたことの疏明がない限り、右主張は理由がない。」(日本冷蔵仙台支社事件、仙台地判昭二五・五・二二労民集一・三・三九一)。

これに対し、つぎのような場合は組合活動ではないとされる。すなわち、組合代議員会において、闘争継続の戦術的意義の一つとして「戦線統一と労農提携」ということが決議され、執行委員会においても労農提携を実施に移す必要があることが決定され、同時に労農提携は渉外宣伝班の分掌事項と決定された。そして、申請人らは外部団体員五名を含め総数二十六名で農村において宣伝活動に従事したが、裁判所は、「『労農提携』ということが組合の正式な決議機関の決定により組合の運動方針として確立されたものということができるし」、その際「執行委員会の補助機関たる各専門部の業務分掌事項が整理決定された」ことも認められるが、「教宣部の業務分掌事項として、労農提携が決定されたという事実についてはこれを認むべき疏明なく、却つて疏明によれば、右事項については話題にすらならなかつたと認めるのが相当である」と認定した後、つぎのようにいう。

【88】「組合規約によれば組合執行機関としては執行委員会があるのみで、組合決議機関(代議員会)において決議されたことはこの執行委員会において執行し、ただ執行委員会が必要と認める場合執行委員会に設けられた専門部にその執行を委任することができると定められているにすぎず、また専門部に設けられる班については規約上なんら規定なく、ただ専門部活動の便宜上活動を分担するため執行委員会の決定により設置されるに過ぎないと認められるから、右の如く執行委員会としては議題にもとりあげられていない以上、組合正式機関は本件農村宣伝になんら関知せず、この活動は組合としての活動とは別個の宣伝活動であつたと推認できる。

仮に申請人らの主張する如く二月十日の教宣部班長会議で農村宣伝に関し具体的立案がなされたとしても、右の如く組合執行委員会がこれに関知せず執行委員会からの授権のない以上、所詮は分派活動の性格を有することを否定できない。」(昭和電工川崎工場事件、東京地決昭三一・八・一五労民集七・四・七八〇)。

ハンガーストライキの当否に関する裁判例については、後に【112】、【157】で触れる。これらの事例は一応組合の行為としてなされたものであるが、組合員個人の立場からなされることもあるであろう。こうした場合についても、その目的において不当でないかぎり、同様に解すべきものと思われるが、さらに進んで、組合員の団結と自覚を促し、また会社の反省を求めるためには、ハンストや煙突に登る位のことではとうていその目的は達せられないとして、世論の換起をも求めるために組合長の資格で自殺をはかつたような場合は、右自殺行為はもはや法の促進する労働組合の行為ではないとした裁判例がある。

【89】「申請人の右の行動はその心情において組合員の団結を促し経済的地位の向上をはかることを目的としてなされたものであることは一応認めうるが、その方法において、要求貫徹のため一般世論に訴え使用者に心理的圧迫を加えるため往々行われるハンガーストライキとも異り、行為者の生存自体を否定しその行為を法律の保護の埒外におく結果を必然に来すものであつて、たといその結果組合が奮起し世論の支持を得たとしても、客観的にみて法の予想する目的に副わないやり方であつて、その行為自体組合のための行為で違法性がないとしても、労働組合法第七条にいわゆる組合の正当な行為ということはできない。若し自殺がその通り行われたとすればその目的が組合の団結を図るためであつても自殺者そのものは同法の保護の対象となることは不可能であることはいうまでもなく、本件のような自殺未遂の場合にも、自殺未遂そのものは前記性質を有する

行為であることに変りはないから同条の保護の対象とはならないものと考える。」（木下工業事件、東京地決昭二六・九・一八労民集二・四・四三八）。

労働条件に関し労使間に意見の不一致がある場合は、それがたとえ組合員個人、したがつて組合幹部自身に関する問題であつたとしても、組合幹部として会社に抗議しうることは当然であろう。ただ、こうした問題については、それが個人的問題であるか組合としてとりあぐべきものかの判断が困難な場合も少なくないが、つぎのような場合、すなわち家族手当の問題をめぐり、賃金規則自体の解釈に関する論議としてではなく、賃金規則に違反して家族手当の支給を受けていた組合幹部が、団体交渉の席上会社側からこの点を指摘され、これに対して抗議を行つたような場合は、右家族手当の受給問題は組合幹部のみに関することがらであつて、従業員一般に通ずる問題ではないから、組合活動ではないとされる。

【90】「申請人の前記家族手当の問題は、あくまで申請人個人の問題であつて、組合の問題ではなく、広田常務が団体交渉の席を借りてかかる問題に言及したのは、秋季定期昇給という名目による組合の賃上げ要求に対して、会社側としても、取るべきものは少しでも取ろうとする苦肉の策であるとみるのが相当であり、組合側がこれに反対したのは、従来会社が、妻の両親と同居する申請人に対し、過去八ケ月間に亘つて何事もなく家族手当を支給して来た事実を根拠として、申請人の個人的立場を支援したに過ぎず、申請人自身の反対も、個人的立場以上に出ないとみるのが相当である。……従つて、前記家族手当問題に関する申請人の抗議を組合幹部としてなした組合活動というのは、当らない。」（樽芳運輸事件、大阪地判昭三二・七・二二労民集八・四・三九八）。

なお、争議行為中に行つた偶発的行為を理由として、当該行為者を懲戒解雇することができるか否かについては、後述するところに譲る。

（七）　組合活動と政治活動

(1)　組合活動と政治活動との関係　労働組合の活動といえるかどうかを判断するにあたつて、もつとも問題となるものの一つは、組合活動と政党の政治活動との関係である。

元来、労働者の経済的地位の向上は、現下の社会においては政治問題と切り離しては考えられず、またその社会的ないし政治的地位の向上と緊密な関連をもつものであるから、労働者の経済的地位の向上に資するため、社会的ないし政治的主張を含めて、これを貫徹するために争議行為にでたとしても、もとより正当な争議行為といわざるをえない。

組合活動と政治活動との関連をどのように把握するかについて、つぎのようにこの両者を峻別するかのごとき立場に立つものがある。

【91】「しかし、原決定が確定した本件抗告人等の所為は、前論旨で説明したとおり、日本共産党細胞機関紙に相手方会社の根拠なき風評を記載して相手方従業員に宣伝した行為であるから、憲法二八条所定の勤労者の団結権又は団体行動権に属しない行為であること明白である……。」（東京急行事件、最決昭二六・四・四労民集二・一・四九）。

しかし、一般には、これとは反対に、政治的活動が同時に組合活動たりうることを認め、その前提に立つて具体的に判断しようとする。

【92】「原判決は、第一点において説示したように共産党細胞活動が常に当然に正当な組合活動に属すると解した上で、かような活動をとらえて解雇理由とすることが不当労働行為となる旨を判示したものではなく、被上告人等の行動のうちには、前示細胞活動と目されるものがあつたとしても、原審の認定する事情の下では、本件解雇の真の理由は、被上告人の前示細胞活動と目さるべき行為それ自体にあつたのではなく、むしろ同人

等が日頃正当な組合活動を活発に行つていたことにあるものと認むべきであり、かような正当な組合活動がたまたま、他面において細胞活動としての性格をもつていたとしても、かような活動をとらえて解雇理由とすることは、労働組合法七条の関係においては、正当な組合活動を理由とする解雇すなわち不当労働行為に当るとするにあるものと解すべきである。原判決の挙示する証拠によれば右認定は可能であつて所論のような違法はない。」（富士精密荻窪工場事件、最判昭三〇・一〇・四民集九・一一・一五三四）。

【93】「尤も組合活動は労働組合乃至労働者が所属組合の統制に服しつつ労働条件の維持改善その他経済的地位の向上を図ることを目的として為すところの行為であつて、具体的労働条件等或る企業内に於ける労働者の地位はその企業に於ける労使間の関係のみによつて決定せられるものではなく、その企業が置かれた周囲の政治的社会的諸関係と直接間接の関連を有するところであるから組合活動に政治運動又は社会運動が伴うことは当然であつて組合活動が政治的目的をも伴うことあるの故を以て直にこれを違法視することはできない。しかしながら一部組合員のかような政治的活動も組合に属する労働者の経済的地位の向上を目的とする組合の統制を乱し、又は主として政治的目的を追及するに在ると認むべきときは組合の本来の目的外の行為として労働組合の正当な活動範囲を逸脱する行為と解すべきである。」（大映京都撮影所事件、京都地判昭二九・九・四労民集五・五・四八五）。

【94】「被控訴人等が神明細胞の一員であり、同細胞が日本共産党の一組織であつて、労働組合たる神明組合とは別個の団体であることはこれを肯認するに難くないが、他方同細胞が組合員たる被控訴人等に対し組合員として活動をなさしめることによつてその政治目的達成に資せようとしていることも窺われるので、被控訴人等が同細胞の一員であるからといつて直ちにその活動をすべて細胞活動であると断ずることはできないし、又組合員たるの故をもつてその活動をすべて組合活動であると即断することも妥当でない。そのいずれであるかは、外部に現われた行動その他からして推測せられる意思によつて定めるの外はない。」（池貝鉄工事件、東京高判昭二七・八・九労民集三・四・三二七、同旨同事件、東京地判昭二六・七・七労民集二・二・一五五、東京地決昭二五・六・一五労民集一・五・七四〇）。

(2)　組合活動判断の具体的基準　政治活動が同時に組合活動としてなされたものであることを認めようとするものは、当該政治活動が組合の闘争方針に反するものであるかどうか、あるいは大多数の組合員が要求の根本において、それと一致しているかどうかによつて、政治活動は同時に組合活動たる性格をも有するものであることを認定しようとする。

【95】「被申請人は右は組合活動ではなく細胞活動として純然たる政治活動であり会社業務の妨害のみを目的とするものであると主張する。しかしながら、申請人らが日本共産党亀有細胞に属し、右のデモに参加したものは概ね細胞員であり、亀有細胞員の本件闘争中における活動が屢々組合の方針と相反し或いはこれを逸脱するところがあつたとしても、申請人の前記行動が組合の闘争目的に即応するものであり、闘争方針に反するものでない以上、申請人が右の行動によつてその抱懐する思想の実践を企図したものであつても、これをもつて組合活動とみることができないものではない。」（日立製作所亀有工場事件、東京地判昭三一・四・二七労民集七・二・二四六）。

【96】「今本件についてこれをみるに、三田細胞に昭和二十一年六月結成以来その活動によつて組合員の意識を高め、組合大会や執行委員会をリードして数次の賃上要求の先頭に立ち、組合をして会社との協定に成功せしめ、団結の推進体を形成してきたものであるが、その間三田細胞の排撃が組合内部から自主的に行われたような事実はなく、むしろ組合員の大多数は、要求の根本においてこれと同一の線を自主的に保持決定してきたものと認められるのであつてかかる活動は一面細胞活動たるべきも、同時に組合活動たる性格をもつものというに妨げない。」（池貝鉄工事件、東京地決昭二五・六・一五労民集一・五・七四〇、ただしこの点は本件の仮処分異議事件によつて改められた。【97】参照）。

政治活動が一面組合活動たる面を備えているような場合でも、結局は組合活動たりえないものであるとする立場に立つものにあつては、その理由とするところは、第一に、政党（細胞）の名において行われる活動は、団体たる政党（細胞）の活動であつて、他の団体たる組合の活動とみるべきではないというのである。

【97】「右債権者らが三田細胞の一員であるとともに、労働組合三田分会の組合員であることは前認定の通りであるが、細胞の名において為される活動は、団体たる細胞の活動であつて、これを構成する細胞員の活動とは別個に観察すべきもので、細胞員の活動が組合活動であるからと言つて直ちに細胞たる団体の活動が組合活動とは言えないものであるから細胞が組合とは別個の団体で政治目的達成のための団体である限り、たといその活動が組合乃至組合員のなす組合活動と同様の活動であつても、それは政治活動であつて組合活動たる性質を有せざるものと考えざるを得ない。」(池貝鉄工事件、東京地判昭二六・七・七労民集二・二・一五五、なお同事件、東京高判昭二七・八・九労民集三・四・三二七)。

【98】「原告XYの所為については、叙上懲戒解雇の正当事由についての判断の項で認めたように、同原告等はいずれも日本共産党玉野造船細胞の構成員であること、被告主張の同細胞の機関紙マストには原告Xは発行人原告Yは編集人と表示されており、これに被告主張の記事が掲載されていること等から見て、反証のない限り、同原告等が分会の組合員であつたとしても、同細胞の政治活動としてなした不当な争議行為と認めるのが相当である。」(三井造船玉野製作所事件、岡山地判昭三一・五・七労民集七・二・三〇四)。

正当な組合活動たることを否定する理由の第二は、それが組合の活動方針に反し、あるいは組合の統制に服しない等、団結権と相容れない活動とみられる場合である。【76】の事例がこれにあたるが、その他にもつぎのようなものがある。

【99】「憲法第二八条は……この団体交渉を勤労者の有利に運ばんがため同盟罷業等の団体行動に出ることを、国家において保障する趣旨であるから、右は団体を無視した勤労者個人の恣意による如何なる言動をも保護すると云うものではない。従つて労働者が労働組合を結成しこれに所属する以上、その統制に服し、これを通じて経営者と経済上の交渉をなすべく、……組合員である労働者が、組合を離れ別個に経営者を誹謗侮辱し

他の従業員を煽動する方法により作業意欲の減退延いては生産の阻害を企図するのは、憲法第二八条に所謂団体交渉権の範囲を逸脱しており、労組法第七条第一号に所謂正当な組合活動と解することができない。本件においては、上記認定の如く、控訴人両名は労働組合の統制違反として処分を受けるや、組合幹部を痛撃して引続き分派行動を執り、虚偽と歪曲誇張の事実を宣伝する印刷物の発行配布をして、執拗に被控訴会社に対する悪意と憎悪の展開を繰返し、経済的要求に藉口して被控訴会社の生産を阻害又はその危険を生ぜしめたのであるから、控訴人等の前示行為は組合活動と何等関係がないものと断ずる外なく、これを以て単に被控訴会社の経営管理方針を批判した程度と見ることはできない。」（日紡貝塚工場事件、大阪高判昭二九・二・二〇労民集五・二・一四五）。

【100】「しかしながら一部組合員のかような政治的活動も組合に属する労働者の経済的地位の向上を目的とする組合の統制を乱し、又は主として政治的目的を追及するに在ると認むべきときは組合の本来の目的外の行為として労働組合の正当な活動範囲を逸脱する行為と解すべきである。本件についてこれを見るに細胞会議の開催、他の従業員に対する入党勧告、同党機関紙『アカハタ』の購読勧誘同党乃至細胞の資金カンパ、細胞機関紙『シュート』の編輯発行、配布等の行為が日本共産党の下部の一組織としてその職場である被告会社京都撮影所に於て同党の勢力を浸透、拡大しようとする大映細胞の共産主義的政治活動であると見るべきことは前示の如くであつて前認定の組合総会に於ける言動も、全物量式理論生計費なる方式によつて賃金値上を要求すべき案を提出討議した際、日映演大映支部京都分会の組合員中の数名にとまる同原告等が他の組合員の反対を押して、これを通さんとして交々自分達が共産党員であることを呼応して宣言し組織的に一種の示威を加える行為に出ていること前示の如くであり、……これら諸事実を総合して考えるとき同原告等の細胞活動は組合活動とは見られず、共産主義政治活動を組合活動へ浸透、反映せしめんとして為した行為であると認むべきである。」（大映京都撮影所事件、京都地判昭二九・九・四労民集五・五・四八五）。

その他、一部の従業員間に流れていた風評をとりあげて細胞機関紙に掲載し、会社の名誉、信用をきずつけたり（東京急行事件、東京高決昭二五・一一・二〇労民集一・六・一〇二六、同東京地決昭二五・五・一一労民集一・三・四三八）、会社幹部を誹謗する内容のビラを会社側の再三の制止にもかかわらず掲示板に貼付し、ことに会社組合間に越冬資金問題が妥結しているにもかかわらず、会社ないし会社幹部を誹謗するビラを貼付したりすること（松島炭鉱大島鉱業所事件、長崎地判昭二五・五・一八労民集一・三・四四五）は、いずれも正当な組合活動として許さるべき範囲を逸脱し、懲戒解雇事由に該当するとされている。

## 三　類型的争議行為と正当性

前章では争議行為一般についての正当性の基準について検討してきたが、本章ではそれを基礎として各種の類型の争議行為およびこれに附随して行われるいろいろの行為について、その正当性を検討することにしよう。もちろんここでは主として争議手段としての正当性が問題となるのであり、それらの争議行為が正当な目的を有することを前提としてのことである。なお、争議行為に附随して団体交渉上に起つてくる各種の手段、態様が同時に問題となるのであるが、この点についてはすべて省略した。

### 一　同盟罷業

（一）　同盟罷業の適否　同盟罷業（ストライキ）は労働者が結束して労働力の提供をなさず、作業を中止する行為であつて、争議行為中もつとも典型的なものである。ストライキは組合員に対する集団的労働停止への働きかけによつて、市民法上は主として組合員の労働契約上の債務不履行を生ぜしめるところから、ドイツ等ではストライキを集団的解約として構成する立場があつたが、わが国のように争議権の保障があるところでは、ストライキ自体による債務不履行ないし不法行為の責任を生ずる余地はなく、ストライキは労働契約関係の存続を前提とし、それからの全面的離脱を意味するものではないというべきである。ストライキは、それが集団的な労務の不提供たる消極的性格において現われるため、その目的が正当である限り、合法性については格別問題は生じない。ストライキによつて、職場秩序に混乱が生じたという状況にあつても同様である。

ストライキの終了は正常勤務への復帰を意味するものであるが、事情によつてはかかる復帰が多少の遅延をみることも避けられないところであろう。その程度において著しいものでないかぎり、これを不当とするのは当らない。

【101】「二交替制が本来の勤務であるならば、一交替制の指令は、不就業部分についてストライキの指令と見るべきであり、また勤務時間外の就労指令は勤務命令のない就労と見られるわけであるが、後者については、会社の生産休止の意図に反したりその他就労によつて会社に特別の損害を与えたことの認められない本件においてはこの程度の職場秩序の混乱は争議によるやむを得ない事態というべきであり、なお、本件争議終了後も数日間一交替制の状態が続いたことは事実上争議の終了が遅延したと見るべきであつて、この程度の正常勤務の復帰遅延を不当なりとして論議するに当らない。」（本田技研工業事件、東京地決昭三三・一一・二四労民集九・六・一〇一三）。

しかし、争議の実際においては、純粋型態としてのストライキは少なく、ストライキの実効性を確保するために、ピケッティング、座り込み、工場占拠等の附随的手段を伴うのが通常であり、これらの手段と相まつてその合法性が問題とされることになる。たとえば、

【102】「会社側の者がピケラインを通過して会社事務所において会社の指揮の下に会社の業務に従事してい

るに拘らず、組合側が事務所内部に拡声器のスピーカを設けて内部で執務中の者に騒音を連続放送したり、又電話係において会社の占有する電話につき通話の管理、制限を行い、以て会社幹部、非組合員、第二組合員による執務を不能に陥らしめるが如きことは、組合の言論による説得ないし団結による示威の範囲を遥かに逸脱するものであつて、かかる行為は組合のスト中にあつても会社に許容されるべき所有権ないし占有権の機能としての企業活動を違法に妨害するものであつて、到底これを許すことはできない。」（利昌工業事件、大阪地決昭三〇・九・三労民集六・五・六六二）。

（一）部分ストの適否　同盟罷業は、常に全組合員が一斉にストライキを行わねばならないものではない。したがつて、特定作業部門に属する労働者のみが行ういわゆる部分ストも、それ自体としては一般に適法である。

【103】「一般にいわゆる部分ストとは、企業の一部門におけるストライキをいい、争議戦術としてはしばしば行われ、ストライキ実施の方法の一として正当なものと解せられる。」（日本化薬厚狭作業所事件、広島高判昭三四・五・三〇労民集一〇・三・五三一）。

（二）指名ストの適否　部分ストは、通常特定作業部門に属する労働者が一斉に行うものであるが、さらにそのストライキの範囲を縮少して、特定の職場における特定の労働者を指名し、その者だけに業務を放棄させる争議行為すなわちいわゆる指名ストは、ストライキに参加する労働者の範囲が縮少されたものにすぎず、一種の部分ストとして正当な争議行為といえる。

【104】「多数の作業所を有する企業において単一の組合が組織されている場合、そのうち或る作業所の全組合員をストライキに入れることも企業全体、組合全体から見れば一つの部分ストであるけれども、或は作業所の一の課、係又はそのうちのある職場の組合員のみをストライキに入れることも又企業の一部門のストライキとして同じく部分ストと言い得べく、さらにそのストライキの範囲を縮限し或る職場における特定の組合員を

指名してその者だけをストライキに入れるいわゆる指名ストもやはり一種の部分ストである。従つて、右の指名ストは特異のストライキ形式ではあるけれども、それが組合の指令に基き、その組織的行為としてなされる限りはやはり組合の争議行為として正当なものといわねばならない。」（日本化薬厚狭作業所事件、広島高判昭三四・五・三〇労民集一〇・三・五三一）。

指名ストは、労働組合側としては、少数の組合員をもつて最大の効果をあげることをねらいとするものであるが、他の部分ストと異なり、その実施方法のいかんによつては、工場事業場の危険発生の可能も考えられないではない。火薬工場における指名ストに関し、つぎのような裁判例がある。

【105】「ただ指名ストの実施方法如何によつては一般の部分ストでは見られない危害発生の可能性も考えられ、殊に作業所は火薬工場であるからこの点特に注意すべきであるけれども、既に冒頭に述べたところから明らかなように火薬工場であるというだけで、指名ストの正当性そのものを狭く解するわけにはゆかないから、この場合も一般労働争議の法理に照らし指名ストの行われた当該部門、時間、人員等を考慮して危害の発生又はそのおそれの有無を具体的に判断しなければならない。」（日本化薬厚狭作業所事件、広島高判昭三四・五・三〇労民集一〇・三・五三一）。

(四)　残業拒否ストの適否　通常の就業時間内の争議行為が、争議制限に関する特別の協定のない限り、正当な行為としてなしうるものである以上、残業拒否の争議行為についても、残業協定の有無にかかわらず、これを違法と目すべき余地のないことはいうまでもなかろう。

【106】「会社は残業協定に背くと主張するが、争議行為制限に関する特別の協定のない限り通常勤務の残業協定に反することは争議行為として正当になし得るところであり、当日の残業について争議協定が成立していたと認めるべき疎明もない。したがつて右行為は協定に反する違法な争議行為とは認められない。」（本田技研工業事件、東京地決昭三三・一一・二四労民集九・六・一〇一三）。

## 二　怠業

（一）　意義および正当性の基準　怠業は同盟罷業と異なり、形式的には労務の提供を継続しながら、故意にその能率を低下させ、実質的には使用者の業務指揮権を排除しつつ、労働組合の支配下のもとに工場事業場を占拠し、操業を行うものである。怠業には、大別して意識的に不良品を製造したり、機械の破壊行為を伴う積極的サボタージュと、消極的に生産の能率を低下させるにすぎない消極的サボタージュとがあるが、後者はそのこと自体によって違法とされる理由はない。

【107】「元来、怠業は形式的には労働者が使用者に対し不正規不完全ながら労務を提供しつつ、実質的にはこれによって使用者の労務指揮の一部を排除し自らを組合の支配下におくもので、それがいわゆる消極的怠業に止まる限り、争議権の行使としてこれをなし得るものと解するを相当とする……。」（日本化薬厚狭作業所事件、広島高判昭三四・五・三〇労民集一〇・三・五三一）。

ただ、怠業が消極的性格にとどまるものか、それとも積極的なサボタージュとして使用者の所有権を侵害するに至つたものとみるべきかは、具体的な問題解決にあたつては困難な場合も少なくないであろうが、裁判例は、つぎのような場合は消極的怠業にあたるとする。

【108】「控訴人は本怠業は積極的業務妨害戦術であるから違法である旨主張するが、本怠業は……その第一の目的は組合員の団結によって紙筒の生産を低下させるというに止まり、その実施において意識的に廃品を生ぜしめたり機械を破壊したようなことは全疎明資料によってもこれを認めることはできないし、又作業所全体から見て紙筒工室における怠業は紙筒のストックを減じ、ひいては紙筒を使用する爆薬の生産量を低下せしめるであろうことは明らかで、支部としてもこれを怠業の第二の目的としていたことは明瞭であるが、これも爆

薬生産部門の一部に生産低下を来すというに過ぎず、本怠業によつて作業所の業務が麻痺し若しくは特殊の危険発生のおそれを生ぜしめたとの点についてはなんらの疎明も存しないから、本怠業は全体としていわゆる消極的怠業に止まるものというべく……。」（前掲日本化薬厚狭作業所事件）。

（二）　各種の怠業行為　「遵法闘争」、「安全衛生遵法闘争」、「定時出勤闘争」等の争議行為は、これを部分ストとみるべきか怠業とみるべきかについて、具体的事情によつては問題があるであろうが、一般的には怠業の実質をもつものということができよう。そして、それ自体としては正当な争議といえる。

まず、安全衛生遵法闘争に関する裁判例として、

【109】「……右安全委員会でたとえ前記のような決議（【23】参照）が示され、さきに述べたようにその報告を受けた監督署から特別の指示がなかつたとしても、労働安全衛生規則第四二六条第一号に定められている動力車の警鈴備付の義務は所轄労働基準監督署長の同規則第一七一条所定の適用除外の認定を受けない限り免除されるわけではなく、右適用除外の認定があつたことについては疎明がないから、同委員会の決議は単に作業所内部の暫定措置というべく、法規上新らしい警鈴が考案されるまでの間といえども電動車にはその作業の安全、危害防止の必要上、少くとも従来の自転車用ベルは取付けるべき義務があるといわねばならない。従つて、支部がたとえ争議の手段として右ベルの取付を要求したとしても、これをもつて会社に対する害意に基いてなした信義に反するものというわけにはゆかない……。」（日本化薬厚狭作業所事件、広島高判昭三四・五・三〇労民集一〇・三・五三一）。

【110】「（安全衛生遵法闘争の内容は）会社側が安全規則違反と認めると否とに拘らず、組合の違反と認める箇所の修理完成までは、当該職場の作業中止を命ずる一種の部分ストと考えられるので、一般には組合に認められた罷業権の行使というべきであり、仮に被告のいうように、違反の有無に対する組合の解釈に多少厳格に

過ぎる点があつたとしても、これをもつて直ちに右闘争を違法な組合活動とみなすことはできない。」（三井造船玉野製作所事件、東京地判昭二八・七・三労民集四・四・二八一、同旨東京高判昭三〇・一〇・二八労民集六・六・八四三）。

つぎに、定時出勤闘争については、

【111】「控訴人は右両日の定時出勤はいずれも会社制度の変革、経営秩序の攪乱のみを目的とした害意ある積極的業務妨害行為であると主張するが、支闘委員会乃至被控訴人等にそのような目的があつたことを窺うに足る疎明資料はなく、右両日の定時出勤の実状をみても組合員の労務提供がわずかの時間遅延したという消極的なものに過ぎず、なんら積極的な性質を有するものとは認められないから、本各定時出勤を故意に就業規則の解釈をまげ控訴人主張の如き害意のみを以てなされた積極的業務妨害行為であるということはできない。」（前掲日本化薬厚狭作業所事件）。

## 三　ピケッティング

わが国の労働争議の実態においては、純然たるウオークアウトはきわめて稀であり、ストライキに工場占拠やピケッティングをともなうのが常態であるといえる。したがつて、ピケッティングに基因する解雇が問題となつた労働争議判例も、かなりの数にのぼつている。ところで、ピケッティングの正当性に関する裁判例は、これまた区々であつて、平和的説得をもつてピケッティングの限界とするものから、平和的説得の機会を確保するためには実力を用いることも正当であるとし、あるいは使用者側に協約違反の事実のある場合に、それに対抗する手段として用いる実力行使を許容し、さらにはスクラムによる消極的、受動的な実力の行使や説得、示威の補助手段として必要な「最少限度の有形力」の行使をも正当とするものなど、各種の見解がみられる。それ故に、ピケッティングをめぐる解雇に関する裁判例のみをとりあげることは、判例の総合的検討の意味からは無意義であるし、また他の稿（本叢書「ピケッティング」、「出荷停止スト」）によつて詳しくとりあげられる予定であるので、ここでは省略することとする。

## 四　座り込み、工場占拠

座り込みや工場占拠の争議手段も、わが国においては一般に行われているところである。工場占拠にはさまざまな態様があり、その最高度のものとしては、労働者が企業施設を排他的に占有し、使用者の立入り、物品の搬出入、非組合員による業務執行妨害等を内容とするものもあるが、一般には、ストライキ中労働者が工場事業場内へ出入することは組合事務所等との関係もあつて常態とされており、その目的もスト破りを防止するとか、団体交渉や集団的示威等の必要上なされるものであつて、暴力的行為を伴わぬ限り、必ずしもこれを違法とすることはできない。

【112】「本社前で座り込み及びハンストの行われたことは前に認定したとおりである。しかし、このような争議手段も暴行脅迫による業務妨害等別段の事態のない限り原則として自由になし得ることであり、会社が右により仮りに信用失墜などの損害を受けるとしても争議行為による結果として忍受する外なく、本件においてこれを不当視すべき特段の事情は認められない。」（本田技研工業事件、東京地決昭三三・一一・二四労民集九・六・一〇一三、ただし、数名の組合員が玄関の建物の上にあがつたことは正当でないとされる）。

【113】「……債務者の作業をなすべき船内でのシッドダウンも下請業者の代替就労阻止（これ自体は当然争議行為の正当な範囲内にある）の為に二時間余りなされたにすぎず二箇月程に亘る長い争議中の行為としては特に取り立てて論議すべきものとは考えられず、又事務所占拠については四月七日、五月二日の二回にわたつて実施されているが、前者についてはその時間も僅か一時間であり……後者については……債権者等は同日の二十四時間ストライキを中止してその就労請求のために債務者事務所に赴いたが、債務者の責任者に会うこと

ができずそのために同所で責任者の帰るのを待機していたものであることが疎明されるのでこれをもつて直ちに違法な争議行為ということはできない。」（東神荷役事件、神戸地判昭三四・一二・二六労働旬報三七〇号）。

【114】「右争議中に組合員が右の各施設へ立ち入つたのは、争議解決のための会社との交渉に当り組合員の意見を求める場合に処しての待機及び争議解決の際に急速な就業の目的を以て、組合員が平時勤務する営業所の配車事務室、運転手車掌の控室、車庫の一部、整備工場等を占拠し、前橋、伊勢崎の各営業所では夜間も二、三人ずつ宿泊していたこと、その組合の行つた営業所等の占拠は会社側のこれら施設に対する占有を全く奪つたものではなく、会社側係員の出入は容認し、右占拠中被申請人会社の総務部長で前橋、伊勢崎各営業所長兼任のA、常務取締役のB等が営業所を巡回した際も、何等その立入を拒否せられることがなかつたことが疎明せられる。そうするとこれに対してその後為された会社からの退去要求に応ぜず、その意思に反して占拠が継続せられたとしても、これ等の占拠は営業所等に対する被申請人会社の占有を全く奪取したものではなく会社に対しては無抵抗に為されたものであつて、会社側のこれら営業所等に対する従前からの支配には何等の支障もなかつたことが認められるのであるから、この占拠は正当な争議行為として認容せらるべきものである。」（群馬中央バス事件、前橋地判昭二九・八・三労民集五・四・三六九）。

しかし、この限度をこえて、「組合員側のした行為は単なる職場占拠に止まらず、被上告人会社側の非組合員職員によつてなさんとした業務の遂行を暴行脅迫をもつて妨害し」（朝日新聞西部本社事件、最判昭二七・一〇・二二労民集三・五八・三）、「裁判所の立入禁止仮処分命令は侵されて組合員は立入禁止区域内に立入り、坐込み、或は事務所を包囲し、建物内の一室を占拠し、更に電話交換台を占拠し、殊に昭和二十五年五月三十一日から六月三日夜半まで会社幹部に対し多くの暴行脅迫を加えて事務所に留まらざるをえざらしめ、応援団体の協力をえて暴力を以て会社職員、第二組合員に対し吊上げ、または第二組合員に対し組合復帰を強要し」(品川白煉瓦事件、東京高判昭三一・九・二九労民集七・五・八七四、同・東京地判昭二九・八・三〇労民集五・五・五一六、なおロックアウト中の職場に実力で侵入することは違法となされる。前掲本田技研工業事件、和光純薬工業事件、神戸地決昭二五・六・八労民集一・四・五〇五)、または、「店舗表口を閉鎖する一方、同店舗裏口の戸を内部から抑え、又は木の棒を突張つて開かないようにして」入店を阻止し(創元社事件、大阪地決昭二九・九・二五労民集五・六・七六〇、なお工場占拠による業務妨害については、主婦と生活社事件、東京地決昭三四・五・二八労民集一〇・三・五二二同事件、東京地決昭三四・四・一四労民集一〇・二・三〇九参照)、「被申請人組合が二回に亘り申請人会社の管理するバス車輌を無断で日の出町車庫に集結させ」、「使用者側に属する生産手段即ち、バス車輌等の管理を排除」する(函館バス事件、函館地判昭三〇・八・三〇労民集六・五・六五二)がごときは、いずれも違法とされる。

## 五　職場離脱、デモ、職場大会

労働組合活動は、それぞれ労働協約等においてとくに許されている場合のほか、原則として就業時間外においてなさるべきものであることはいうまでもない。このことは、たとえ労働組合の執行委員長その他の組合幹部の場合であつても同様である。換言すれば、就業時間中会社の許可を受けることなく、みだりに職場を離脱することは、組合活動を理由としても許されないものといわねばならない。

【115】「……労働協約第八条によれば労働時間外(内?)になす組合活動は労使協議会その他所定の会議会合に出席する場合その他必要に応じ会社の認めた場合にのみ許され、しかも会社に対し会合の期日、場所、出席者の氏名等をその都度事前に通知すべきであるにかかわらず、事前に通知をなさず又は会社の許可が得られなかつた場合においても組合要務のためとして欠勤したことがあることは同申請人が本人尋問において自ら認めているところである。前記欠勤等が整理基準に該当しないというがためにはそれが相当と認められる事情と相当と認められる範囲内であることが必要であつて、このことは就労時間中の組合活動であつても、就労すべき日に欠勤してなす組合活動であつても同様である……。」(高屋織物事件、岡山地判昭三二・六・二九労民集八・三・三〇九)

【116】「ところが申請人は、申請人が職場を離れたのはすべて組合活動の故であつて、しかもそれは会社との交渉或いは電話面会（いずれも会社が取次いだもの）等であつて分会の最高責任者である申請人がかような理由で職場を離れたからといつて職場の規律を乱し他の従業員に悪い影響を与えることとはならないと主張する。しかしながら疎明によると就業規則第四条によれば、会社においては勤務中濫りに職場を離れることを禁ぜられ已を得ず職場を離れるときは上長の許可を得なければならないとされ、組合活動についても昭和二十八年七月二十一日分会と川口工場との間になされた協定においては原則として就業時間中において自由な組合活動が承認されていたが、その都度事前に届出許可を要したのであり、同年八月十日さらに締結された協定によれば組合活動は原則として就業時間外に行うこととされておつたことが認められるのであるから組合活動と雖も就業時間中には許可を要するのであり、そのため職場を離れるには許可を要するのは当然であるところ申請人がこのような許可を得ていたことの疎明はない。……しかしてまた職場を離れた理由が組合の業務のためであつてその他の従業員がこれを諒としているからといつてその職場離脱を正当化させる道理はないこと勿論でありその故に従業員に悪い影響を及ぼさないとは言えない。寧ろ組合活動のためならば自由に職場を離れてもよいのだという考え方自体又はこれを支持する考え方が職場の秩序を紊すものであつてそのことが既に悪い影響を及ぼしているものであると言わねばならないのである。」（山口自転車川口工場事件、東京地決昭三〇・一二・一〇労民集六・六・七九六）。

しかし、就業時間中の組合活動またはそのための職場離脱は、いかなる場合においても常に違法とみられるのではない。組合活動ないし職場離脱の時期、態様あるいは使用者側の態度等諸種の事情によつてはあながちこれを違法視すべきではない場合も少なくない。以下こうした場合について考察してみよう。

まず、組合の闘争委員長その他の組合役員が、就業時間中組合活動のために職場を離脱することにつき、慣行的にもしくは使用者の黙認ないし放任があつたとみられるような場合には、職場離脱は必ずしも違法とはならない。

【117】「なるほど就業規則第一三四条第七号には従業員は『直接関連のない作業場に濫に立入つてはならない』旨規定されているが、……従来支部役員は組合活動のために各作業工室にしばしば出入し、その際係長等の職制者が居合わせたときはこれに簡単な挨拶をする程度であつて、このような入室について各工室責任者も作業所も明確な態度を示しておらず、従来これが特に問題とされたことはなかつたことが認められ、かかる場合いちいち担当課長の許可を要するものとされていた事実を疎明し得る資料はなく、右認定に反する疎明は採用しない。してみると、従来から支部役員が組合活動のため各工室に立入ることは作業所もこれを黙認していたのが慣行であつたというべきである。」（日本化薬厚狭作業所事件、広島高判昭三〇・三一四・五・三〇労民集一〇・三・五三一）。

【118】「前記疎明によれば、同人等は組合役員又は職場の委員として組合活動をしていたものであり、旧協約の時代においては、就業時間中の組合活動も相当広く認められていたこと、作業成績の悪いことや席をはなれることの多いことは右の組合活動による場合のあることが一応認められるので、組合活動以外のため席をはなれ作業をしないことの疎明のない限り、これをもつて直に整理基準に該当するとは為し得ないものと考える。」（池貝鉄工事件、東京地判昭二六・七・七労民集二・二・一五五、同旨同事件、東京高判昭二七・八・九労民集三・四・三二七、東京地決昭二五・六・一五労民集一・五・七四〇）。

【119】「……昭和二十三年十二月二十六日の協約締結以来昭和二十四年十月二十一日改正労働組合法に基く組合規約の改正時に至るまで就業時間中の組合活動については事実上組合に対しても、また個々の従業員に対しても、明確な態度を示したことがなく、どちらかといえば組合と会社との力関係を考慮し、成り行きにまかせていた観があるのであつて、むしろ会社が従来そうした明確な態度をとらなかつたことがかえつて一般に職場秩序の弛緩をもたらし、就業時間中の組合活動を会社が黙認しているかのような感を与えたものと推測せられるのであつて、申請人等の勤務状態が改まらなかつたことについては、会社側のこれに対する措置に欠ける

ところがあつたことにその一半の責任があるといいうるからである。」（大日本印刷事件、東京地決昭二五・三・二七労民集一・一・九四）。

同様なことは、就業時間中の職場大会についてもいいうる。

【120】「そこで先ず右大会の時間延長が無断でなされたものであるか否かについて考えるに、……従来においても昼休時間中に行われる支部の組合大会が延長されることは少くなく、この場合支部は殆んどM勤労係長に申出て大会時間の延長につき作業所側の了解を得ており、そして同係長が支部から大会時間の延長について了承を求められた際通常これに対し必ずしも明確に承諾の意思を表示しないでなるべく早くやめてもらいたいという程度の応答を以て、いわば黙示の承認を与えていたのが例であつたことが一応認められ、……本事件の場合はさきに認定したように最初K（支部執行委員―筆者註）のなした延長の申入（一〇分間の延長申入―筆者註）についてはM係長が一応これを了承しており、A（支部書記長―筆者註）が再度なした申入（再延長の申入―筆者註）については、右のような従来の同係長の承諾の仕方、並びに前記のような当日の同係長の応答の模様（早く終つてくれという返答―筆者註）及びK課長の右係長やAに対する態度等を考え合わせると、作業所も当日の大会が中央労働委員会の斡旋を受けるかどうかについて支部側の態度を決する重要な大会であり、又当時既に争議状態にあつてストライキ突入直前の重大な段階におけるものであることも考慮に入れ、その時間の延長を黙示的に承認していたものと認めるのを相当とする。」（前掲日本化薬厚狭作業所事件）。

つぎに、たとえ職場離脱が形式的には違法なものであつても、それが短時間の離脱にすぎず、このためとくに重大な企業秩序の混乱を招いたこともないような場合は、かかる職場離脱は懲戒解雇に値する程不当なものとはいえない。【122】は職場内のデモに関するものであるが、当時人員整理をめぐつて闘争中であり、かつ、デモの行われた時間が僅少であることをもつて、不当な組合活動とみなしえないとしている。

【121】「ただ（組合選挙）が作業時間中職場を離脱したという点において、会社の経営を阻害したといいうるのであるが、前記のように選挙のために作業時間を割いて用いたのは、僅かに六分乃至十分の短時間であり、そのように短時間の職場離脱が……懲戒解雇の原因に該当する程重大な事由であるとは……認めることが困難である……。」（木南車輌事件、大阪地決昭二三・一二・一四労働関係民事事件裁判集二・五二）。

【122】「申請人は昭和二十五年五月十六日以降連日にわたつてスト指令もないのに細胞員十数名とともに拍子木鉄片等を叩いて労働歌等を高唱しながら各職場をデモ行進し、従業員に対し参加をすすめたこと及びその解散の時刻が就業時に及んでいたこともあることは申請人も認めて争わないところであり、……してみれば、右の申請人の行為は一応会社業務に対する非協力といえるかも知れないが申請人らの組合は前記のとおり大量の人員整理に対し闘争中であり、右の就業時間内に行われた時間は僅々二十分位のことであること……も窺えるので、申請人の右のデモ行進は多少職場従業員の始業準備が妨げとなることはあつたにしても右の程度では未だ不当な組合活動として非難すべきものではない。」（日立製作所亀有工場事件、東京地判昭三一・四・二七労民集七・二・二四六）。

ところで、組合役員の職場離脱や職場デモ等が多くなるのは、いうまでもなく労使間に争議状態が生じ、あるいは組合に内紛問題が生じたような場合である。こうした場合に、組合専従者をもたない多くのわが国の労働組織状態においては、組合役員が闘争体制の確立や、内部問題の紛争解決のために職場を離れることは、ある程度やむをえないものといわねばならない。

争議状態が存在し、あるいは争議行為が発生するおそれのある場合の職場離脱については、

【123】「……作業所における労休とは組合員が労働時間中に組合業務に従事するため作業所から与えられる労務休暇であつて労休中の賃金が差引かれる場合とそうでない場合とがあり、有給扱は団体交渉のため等一定の場合に限られていたこと、……無給の労休は特にその使用目的を限定することなく一般の組合業務のために

使用することができ、作業所もその使用についてなんら干渉していなかつたことと、支部役員が闘争指導のために闘争現場へ行く場合は無給の労休を得て職場を離れており、作業所はこのような労休申入を殆んど拒否することなく与えていたこと、当日午前九時三〇分から作業所事務所において団体交渉が行われているが八時三〇分から九時三〇分までの右労休は直接該団体交渉のためのものではなく、一般組合業務に使用できる本来無給扱の労休であつたところ、ただ事務上の手違から後日それが有給労休として処理されたに過ぎないことが一応認められ、右認定に反する疎明資料は採用しない。してみると、右労休は当日午前九時三〇分から行われた団体交渉の労休ではあるが、それが与えられた当初からその団体交渉のためにのみ使用しなければならないものであつたとは考えられず、前記被控訴人等が右労休時間を以下設示の被控訴人等のいわゆる遵法闘争指導のために各自の担当職場を離れて充電場にいたとしても、これをもつて労休濫用による職場離脱であるとはなし難い……。」（前掲日本化薬厚狭作業所事件）。

【124】「更に控訴人は職場離脱の違法を主張するので案ずるに、組合が七月七日から同月二十日迄許可なく就業時間中に屢々闘争委員会、執行部会を開催し且つ宣伝活動を行なつたことは被控訴人等においてこれを認めるところであり、……控訴人は昭和三十年十二月七日既に勤務時間中の組合活動を禁ずる旨を通達し本件争議中においても昭和三十一年七月十二日重ねてこの点に関する通告を発していることが疎明され、而してかかる通達通告がなくとも勤務時間中に職場を離脱することは原則として違法というべきであるけれども、一方において……本件争議の直前に行われたいわゆる六月争議中、同月七日組合は新聞社の特殊事情にかんがみ勤務時間中の会合につき控訴人の諒解を得ているのみならず、会合によつて費消した時間中の勤務は残業によつて補ない、極力業務に支障を来たさないよう努めて来たことが疎明されるのであつて、この事実と、執行委員会、闘争委員会等の役員は組合内において枢要は地位にあり争議中は組合専従者と同様の取扱を受けなければ正当な組合活動は十分に行ない得ない事情を彼此考え合わすと本件の職場離脱は未だ必ずしも違法視すべき場合で

ない。」（高知新聞事件、高松高判昭三二・六・一一労民集八・三・三三七）。

【125】「而して右の如く争議行為の発生し、又は発生する虞れのある争議状態にある場合に於ては、労働協約中に特約がなくても組合役員が団体交渉の下準備又は闘争体制確立等のために必要な限度に於て、職場を離れることも我国労働界の現況に於ては強がち違法視すべきではないであろう。」（日本製靴事件、東京地決昭二四・一一・一一労働資料七・一八七）。

組合の内紛問題が発生している際の職場離脱については、

【126】「入社後一年位してから勤務中離席することが多くその内には私用によるものもあると認められる。しかしその離席は……後述のとおり昭和二九年四月申請人の属した第一組合が分裂し第二組合が結成されるという組合の内紛があり第一組合において申請人は青年婦人部幹事として活躍していて、組合用務のための離席もあつたものと推察されるので離席の情状として斟酌さるべきであり被申請人が単に離席の多いことのみに着眼し離席の目的、用務を考慮しないで勤務成績を評価するのは用意に欠けるものと云わざるを得ない。」（東京出版販売事件、東京地決昭三四・一二・二九労民集一〇・一・二六）。

職場離脱等が組合の意思にもとづき争議行為として行われる場合には、そのこと自体から違法性の問題が生じないことは当然であろう。

【127】「労組執行委員の争議中の職場離脱、組合員の随時の離脱、デモ、集会の行われたことは前認定のとおりであるが、これらの行為は争議権の実施を委任された執行部の意思に基く争議行為と認めるのが相当であるので、正当性を有するものというべきであり……。」（本田技研工業事件、東京地決昭三三・一一・二四労民集九・六・一〇一三）。

なお、すでにある職場において争議行為が発生している場合に、組合役員が争議の行われている職場に立入り、指導統制を行うことは許されねばならない。

【128】「……それがいわゆる消極的怠業に止まる限り、争議権の行使としてこれをなし得るものと解するを

相当とするから、組合においてその怠業を適正に遂行せしめるために必要がある場合には、組合役員が怠業中の作業場に立入りその指導統制に当ることも、敢えてこれを違法とはなし得ないと解すべきである。」（前掲日本化薬厚狭作業所事件）。

争議状態下における休憩時間中の職場デモや、争議行為としてのデモは、故意に会社側の業務を妨害し、あるいは暴力行為にわたらないかぎり、これらのデモが団結権の強化を目的とするところから、一般に適法行為というべきであろう。この場合会社の施設管理権の侵害をもつて問責するのは、労働常識に照らし妥当でないと考える。

【129】「そこで本件デモが、組合活動としての正当な限度を逸脱したものであるかどうかについて検討するに右デモが昼の一般の休憩時間中に事務所関係の組合員が屋上に集合、経過報告を受けた後階段のみを通つて事務所広場のデモに参加するという形式で組合の指令に基き実施されたもので、外部より事務所に侵入し来つたデモではなく、また階段を上下して相当時間に亘つてデモを繰返し行つたわけではなく、比較的会社側業務に対する影響の少い様考慮して決定施行されたものであることを考慮すれば、階段とはいえデモのため之を通行する当然の権利があると見るべきではなく、階段を通つてのデモでも特に事務所は工業所の事業を統轄する最も重要な建物であることに徴すると、事情の如何によつては会社の管理権を侵害するおそれが多分にあるが、叙上の程度に止まつた本件デモを以てはいまだ組合デモとしての正当な限度を逸脱したとは認め難い。」（三井化学三池染料工業所事件、福岡地判昭三二・七・二〇労民集八・四・四三九）。

しかし、暴力が行使され、あるいははなはだしく会社の業務が妨害されるに至つた場合には、もはや正当な職場デモということはできない。

【130】「しかしながら前記のように申請人が会社幹部の会議を妨害する目的をもつて、幹部であるIに対し

て暴力を行使したことは、正当な組合活動といえないこと勿論である……。」(前掲日立製作所亀有工場事件)。

【131】「申請人の前記一連の行為はそれが組合の決定により派遣されたピケ隊に随行し、その集団的行動たるピケ行為の一環として行われたものであるにせよ、右ピケ隊の行動たるや通常ピケッティングの範囲として容認さるべき言論による説得、団結の示威等による入門阻止又は就労阻止等の限度をはるかに逸脱したものである。即ち工業所のW工場は高圧ガス取締法の規制を受ける危険施設としてみだりに作業者以外の者は立入りできない工場であり、又最新式のオートメーション工場であつてその計器室には各種計器が集中され、一定の標準作業が全くこれらの計器によつてのみ操作されているという状況であるから、部外者が多数その内部に侵入して喧騒する如きは厳にこれを避くべきものであるに拘らず、会社が非組合員により操業中のかかる工場内に多数人員で無断侵入の上、右の如き枢要の場所たる計器室において作業中の非組合員更には保安作業を継続せんとする会社の作業責任者等に対し、多数の圧力を以て保安作業の停止を要求して喧騒を極め、非組合員等の固有の業務を妨害すると共に、会社がスト中と雖も作業を休止すべき義務がないのに拘らずその意に反して作業停止のやむなきに至らしめ、その操業の自由を侵害したものであるから、その目的、手段の双方において違法な争議行為であるといわざるを得ない……。」(前掲三井化学三池染料工業所事件、同事件、福岡高判昭三四・一一・一二労働旬報三七一号)。

賃金の遅欠配等会社側に責むべき事情が存し、このため労働者に不満不安が生じているような場合にも、組合役員が会社側との交渉や組合員の諒解を求めるために職場を離れることが多くなるのはやむをえないものといわざるをえない。こうした職場離脱は、むしろ会社側にその責任を求めなければならない。

【132】「当時会社の賃金遅払はその極に達し、従業員はもちろんその家族の者も予定がつかず日々困却していた際であつて、会社側がこれを納得させるに十分な措置をとり得なかつたことが認められ、かかる事情の下

において従業員が職場大会を開き工場幹部との交渉を決議したり、その家族が会社に陳情におしかけるということがあるのはやむを得ないものという外なく、かような場合前記のように職場委員たる債権者X、Y、Zらが各ブロックから代表者らと決議に従つて職場をはなれ交渉に赴いたり、また職場をはなれて家族のため交渉の便をはかるのは無理もないところとしなければならない。」（富士精密荻窪工場事件、東京高判昭二八・四・一三労民集四・五・五三七、東京地決昭二五・一二・二二、同旨同事件、東京地判昭二六・一一・一労民集二六・三〇労民集一・四・五六三）。

また、こうした賃金遅欠配の状態にある場合、従業員の間に起つた自然的行為として職場大会が開催され、職場デモが行われたとしても、これらはいずれも不当視しえないものとされている。

【133】「当時会社は給料を遅配し一箇月の給料を五、六回乃至十二、三回に分割して支払い少い時は一回百円二百円の時もあり、それも約束の時を過ぎて支払われるような事情にあつたこと、かような事情の下においては従業員の不満不安も自然強く職場の規律も弛緩し、些細なことでも従業員の不満不安を激発し、従業員が通常の場合と異る昂奮に駆られるようになることは容易に推知し得るところであつて　組合もまたこれを放置するの已むなき事情にあつたことが認められるので、右債権者らの前記行動（職場大会を開き作業を抛棄して工場幹部に交渉したこと―筆者註）が右状勢を助長したとしても同人等も従業員の一員として前同様の不満不安に駆られていたものと見ざるを得ないから、特にかかる状勢を利用して会社に反抗させ混乱に陥しいれることを目的としたことについて十分なる疎明のない限り、これをもつて直に整理基準に該当すると為すは、……妥当にあらざるものと考えざるを得ない。」（前掲池貝鉄工事件）。

【134】「……前記のように被告会社は従業員に対する賃金の支払をおくらせており、これについては組合は会社と種々交渉をしていた際であり、賃金不払のごとき労働者の生活に直接の脅威が加わつた事態の中にあつて職場が相当に混乱することは無理からぬところで、右職場大会のごときもその一つのあらわれにすぎないとみられるし、組合幹部たる原告等がその混乱に一役買つたとしても普通ならば、被告会社としても自分の方に

責任のあることで大目にみねばならないところであろう。」（大阪陶業事件、大阪地判昭二六・五・二六労民集二・四・四一〇）。

【135】「前記のような就業時間中の職場内におけるデモが、デモの参加者にとっては職場離脱となり、他の者に対しては刺戟と動揺を与えるものであつて、それ自体職場の規律秩序を乱し、業務運営を阻害することはもちろんであり、殊にこのようなデモは時としてささいなきつかけから不測の重大事に発展するおそれなしとせず、本来極めて工場秩序に害ある行為であることは否定し得ないところである。しかしながら……右第二職場のデモは会社側の賃金遅払及び保証給切下げの態度に対する従業員側の不満がこのような形で表現したものであつて、これはもとより組合の執行部の統制ある行為ではなかつたが、この後間もなく組合の右会社に対する要求は貫徹しているのであつて、当時他の職場がこれに加わつていないことからすればそれ自体行き過ぎであつたことを認めなければならないが、もともとその因をなすものは会社側の態度にあり、事情察すべきものがあるといわなければならないのみでなく、これに参加した債権者らの演じた役割は前記のとおりであるから（債権者らが職場デモを共謀し、あるいは煽動指導した事実は認められない──筆者註）参加者全員の責任が問われる場合はかくべつ、然らざる限りこれを特に他の参加従業員と区別してその責任を重しとし、これをもつて工場秩序を乱す者との基準に該当させることは相当ではない。」（前掲富士精密荻窪工場事件）。

なお、右【135】の上告審はつぎのようにいう。

【136】「しかし原判決は、上告人の被上告人に対する解雇が公平の原則上是認される理由を欠くが故に許されないと判断した趣旨ではない。原審は被上告人等に多少職場規律を乱した行為があつたことは認められるが、当時の状況の下において判示程度の行動をもつては、公平の見地からいつても、会社側が使用者としてこれをとらえて通常直ちに解雇の理由としてとりあげる程度のものであるとは認められないから、本件解雇の真の理由は、被上告人等の正当な組合活動にあると認むべきであると判示した趣旨である……。」（富士精密荻窪工場事件、最判昭三〇・一〇・四民集九・一一・一五三四）。

他組合の争議の応援のために就業時間中に職場を離れることも、実際上はしばしば見受けられるところである。この場合、正式の手続を経た職場離脱であれば問題はない。しかし、無断で職を離れた場合に、その責任はどう問わるべきかについて、つぎのような裁判例があるが、他組合の争議の応援のために勝手に早退することは、組織的に計画、運営されている作業秩序を害するものであつて、たんなる通常の事故欠勤とは同一視することができないとしているのは注目される。

【137】「前記のように、早退したことは、債権者らが正当な許可を得て早退したものとは認め難く、また正当な事由とも認め難いから、結局許可なく職場を離脱したものと言うほかない。また債権者らが職場を離れるに際し、国電スト応援に赴く旨を白墨で大書したことは、これをもつて他の従業員を煽動するものとなすには、疎明が足りなく、自己の行動を誇示する域を脱しないものと認めるほかない。蓋し、前記疎明資料によれば、当時組合は従業員に対し国電スト応援に個人参加することを望まざる態度を示していたこと、債権者らが常に結束して他の従業員と別の行動をとることも多く、組合執行部に対しあきたらざる態度を示すことも多く、かようなことが一般従業員に明であつたことが、認められるので、右のように大書することをもつて、直に煽動と認めるには疎明の足りないものと言うほかない。而して、債権者らの以上の行動は、当時早退の許可は全く形式的にすぎなく申請があれば形式的事由で随時許されていたとか職場の規律が弛緩していて就業規則も十分には遵守されていなかつた事情等の特別の事情の疎明のある場合には実質的に事故欠勤の域を多く出ないものと考え得る場合もないではないが、かような特別の事情の疎明のない限り、債権者らの以上の行動が、公然就業規則を軽視し剰えこれを就業中の多数従業員に誇示し工場秩序の上に多大の影響を与えるものであることは、否定し得べくもなく、これをもつて、工場秩序を乱すものとされても已むを得ないところと言わざるを得ない。」（前掲富士精密荻窪工場事件、東京地判昭二六・一一・一労民集二・五・五三七、同旨同事件、東京高判昭二八・四・一三労民集四・二・一二二、ただし、東京地決昭二五・六・三〇労民集一・四・五六三は本件職場放棄は一般の事故欠勤と大差なく、解雇の一要素として採

り上げるのは失当であるとする)。

## 六　ビラはり、ビラ撒き

ビラはり、ビラ撒き等の方法は、労働組合活動のもつとも通常の方法の一つである。争議状態が発生し、または争議行為が行われている場合には、ビラはり活動は一段とはげしさを加える。ビラはりもまた組合活動の一つであつてみれば、不当にこれを制約することは許されない。ビラはりが職場の規律違反になるかどうかは、場所、内容、目的、その態様ならびに経緯、相手方の態度等あらゆる事情を総合的に判断して決定することが必要である。

【138】「職場内の、貼付を禁ぜられた個所に禁を犯してビラをはることが、職場規律を乱すものであることは否定し得ないが、ビラはりビラまきは労働者の運動の最も通常の方法の一つであつて、これが職場規律の違反になるかどうかは、そのなされた場所、その際の状況、回数、ビラの内容、この種行為に対する会社側の態度等を考慮して判断しなければならない。」(富士精密荻窪工場事件、東京高判昭二八・四・一三労民集四・二・一二二、同旨同事件、東京地判昭二六・一一・一労民集二・五・五三七)。

ビラはりに関する裁判例をみるに、まず、組合の情報宣伝部副部長がとくに組合の機関に諮ることなく、市政を批判する組合名の声明文を市役所玄関に貼つたことが、組合自体の声明といえるかどうかが争われた事例があり、裁判例はつぎのようにいう。

【139】「原告Xの前記行為は組合の機関の決定に基きその執行行為としてなされたものではないけれども、当時執行委員会の行つた決定の趣旨に沿う声明であり、情報宣伝部副部長には一般に組合名においてある程度の声明文を発表する権限が承認されており、且つ直ちに執行委員会において原告Xの各行為を事後承認した事実が認められる。之によつてみると右の行為は必ずしも原告X個人の行為乃至は原告Xが組合名を冒用してな

した行為とはいえず組合の行為と見るのを相当とする。」（久留米市事件、福岡地判昭二七・七・二二労民集三・五・三七一）。

とくに許された場所以外の場所への文書の掲示は、会社の施設管理権との衝突を生ずる。しかし、文書の貼布、掲示は組合の宣伝としてはほとんど唯一かつ重要な手段であり、わが国の実態からみて施設管理権の侵害を強く主張することは妥当でないと思われる。ことに、つぎの裁判例のように、ビラの貼布掲示場所や方法につき慎重な配慮がなされているような場合には違法とみるべきではない。

【140】「本件争議におけるビラの貼布掲示場所は、昭和三一年三月及び同年六月の争議の際におけると殆んど同一で、前二回の争議の際には、黙認されていたところであつて、本件争議に際し、申立人会社の信用及び営業を阻害しないよう慮り、特に右貼布掲示の場所を、社屋内の天井、壁等に限り、かつ、貼布掲示方法も、ビニール絶縁体テープを以てし、貼布跡のつかないようにしたのであるから、違法とみるべきではない。」（高知新聞事件、高知地判昭三一・一二・二八労民集七・六・一〇一八）。

これに反し、文書の掲示が著しく乱雑であり、建物の効用、体裁等をはなはだしく毀損し、あるいは一般人をして嫌悪の情を起さしめるような場合には、正当な組合活動の範囲を超え、違法となるものといえよう。

【141】「労働協約等にビラの掲示場所、方法等につき定めがあればこれに従うべきであるは勿論のこと、ない場合であつても、著しく建物等の効用体裁をき損し、また、その記載内容が一般人をして甚だしく嫌悪し、ひんしゆくさせるようなビラ張り行為は正当な組合活動の範囲を超え、違法となるを免れない……。」（沢タクシー事件、鳥取地判昭三〇・一一・二〇労民集六・一一・一九）。

その他、貼付の回数が問題となつたものとしては、

【142】「五月十三日のビラはり当時は特に会社の事前の注意が徹底していたとは思えないから、この一回の行為をもつて直ちに工場秩序を乱すものとするのは相当でないが、同日の行為について総務課長から注意があつたのに、その数日後の五月二十日に再び同様のビラはりをするのは不当というべきである。」（前掲富士精密萩窪工場事件）。

があり、ニュースカーの使用に関しては、つぎの裁判例がある。すなわち、会社は従来組合に対しニュースカーの工場構内使用を禁止する旨を通告しており、その理由とするところは、工場構内の道路状況があまりよくない上に専用鉄道の線路が相当交替しており、業務用自動車類の運行も頻繁なため、業務に関係のない車輛の運行は交通上危険があり、また、高音で放送しながら構内を廻られると工業所内は連続作業の多い関係上、二交代、三交代制で操業している工場が多く、普通の休憩時間であつても相当数の人員が作業を継続している状態であるので、これらの作業に対し妨害となるというにあつたが、

【143】「申請人の右ニュースカー運行は組合の意思決定に基き該決定通りの組合活動を行つたもので、他の何れの執行委員にも同様の行為のあることであるし、かつ同車の工場構内使用は休憩時間中会社構内の主要道路を選んでなされたもので会社の操業に最少限度の影響を与えるに止めることが顧慮されていることにかんがみ、会社の管理権も組合の団結権に基く組合活動との関係で調和的に制限せられるべきであり会社は組合活動の便宜をも考慮しある程度の譲歩は行うべきであつたと考えられるので、これらの事情を考慮すれば申請人の右行為を以て特に『著しく工場の風紀、秩序を紊したもの』とするのは相当でなく……。」（三井化学三池染料工業所事件、福岡地判昭三二・七・二〇労民集八・四・四三九、同旨同事件、福岡高判昭三四・一一・一二労働旬報三七一号）。

文書による宣伝は、たんに組合員の団結強化のために用いられるのみならず、一般第三者に対して

世論の支持をうる目的でも行われる。こうした第三者に対する訴えも、そのことから直ちに違法というには当らないであろう。

【144】「又右各文書は、前述のように、第三者に対しても配布せられたのであるが、それは、その配布先から考えて、本件争議の事情を知らせて、その支援を求めるためになされたもので、かつ、そのために必要な最小限度の範囲の者に配布されたにすぎないとみられる。以上の次第であるから、前述の右各文書の配布は、特に申立人会社の信用を傷つける意図のもとになされたとみるべきではなく、従つて、何等違法な争議行為とはいえないと解する。」（前掲高知新聞事件）。

ビラはり、ビラ撒きに関してしばしば問題となるのは、使用者ないしは組合幹部を攻撃するような文言の記載されたビラの内容である。一般的基準としては、つぎのようにいわれる。

【145】「組合活動としてなされる文書の配布であつても配布者がその文書に記載されている文言により他人の人格、信用名誉等を毀損失墜させ又はさせるおそれがあり且つ文書に記載の事実関係が虚偽であることを知り又は知らなくても容易に知り得るべきものであつて、知らなかつたことにつき重大な過失があつたりその他文書の記載自体、配布の状況などによりその配布目的が専ら他人の権利、利益を侵害する悪意を有し又は有するものと認められるときは一応不当のものというべきである。」（沢の町モータープル事件、東京地判昭三三・五・二六労民集九・三・二九八）。

【146】「しかしその宣伝内容は前記のとおり虚構の事実であつて、その結果会社の社会的信用を著しく毀損するものであるので、このような行動は法律の許さないものというべきであり、これがたとえ組合の意思決定による活動として実行されたとしても正当な組合活動ということを得ない……。」（昭和電工川崎工場事件、東京地決昭三一・八・一五労民集七・四・七八〇）。

しかして、ビラの内容が一応違法とされるようなものとして、「新聞ゴジラ福田を倒せ」「新聞社の発展阻む無能無知の経営者」「老重役よ生永らえて恥多し」などの如きビラは、「特定の個人を誹謗し、かつ、前記争議目的を達成するため必要な手段方法の限度を越え」るものとされる(前掲高知新聞事件)。これに反し、具体的事情のもとにおいては、あえて不当な言動とはなしえないとするものに、会社および重役一派の経営の専断、陰謀などの事実を記載した文書を配布したことにつき、

【147】「その表現が誇張に過ぎた嫌はあるが、その意図するところは、前記争議目的を表現したものとして、争議という特殊なふん囲気の内に於ては、気勢をあげ、団結を強めるためには、この程度の表現は許さるべきである……。」(前掲高知新聞事件、同旨同事件、高松高判昭三二・六・一一労民集八・三・三三七)。

【148】「被申請人会社の『経営者に対する誹謗中傷、会社の施策職制に対する揶揄讒謗』として主張する箇所は、必ずしも特定者に対する攻撃としての客観的表現を有しない部分もあり、又その他の箇所において明らかに経営者に対して向けられた攻撃であつても単に比喩的表現であつて、とりたてて咎むべき程度に至らぬものもあり、……被申請人会社が『会社の信用失墜、業務妨害、名誉毀損』として指摘する箇所のうち『ビクターラジオに今迄より質の悪い真空管を使うのは何故か』という趣旨の箇所以外はいずれも具体的な事実を欠いているから、信用失墜、業務妨害、名誉毀損等に当らぬと言わねばならない。又真空管云々の点は……品質が劣悪であると、少なくとも一般ラジオ小売商等業者の間において理解されていた事実が一応認められるので会社に対する名誉毀損と言い得るか否かについて疑あるのみならず、前記認定の様に該記事の意図が会社生産品の品質の低下を憂え、これを是正して会社の発展を期待し、よつて以て労働者の経済的地位の向上を計るにあると認められる以上、組合活動としての側面から見た場合には該記事を不当なりと為すことはできないと言わねばならない。」(日本ビクター事件、横浜地決昭二九・七・一九労民集五・四・三八三)。

【149】「『北島内閣熱海にて定例閣議』と題する記事を掲載したことは……根拠薄弱な想像的記事であつて北島専務その他会社役員の名誉をきずつける節のあることは一応これを認めるが、記事全体からみると主として会社の組合対策並びに企業整備等に対する態度を批判したものであり、しかもそれが『得意先に対して会社の

信用を失墜せしめ会社に損害を与える』程度のものとは認めることはできない。」（大日本印刷事件、東京地決昭二五・三・二七労民集一・一・九四）。

【150】「会社は、申請人が会社の人事異動に際し、故らに事実無根のことを宣伝して従業員の人心を惑乱し、会社の業務運営を妨害するため、右の如き掲示をなしたと主張する。もとより一般的抽象的に立言すればかかる行為は違法なものといい得るであろうが、……申請人が会社主張の如き意図でなしたとの疏明は何もなく、むしろ前記認定事実に徴すれば、申請人において、従業員の労働条件改善のためなしたと一応推認できるわけであるし、掲示をなすに至つた経緯及びその表現において著しく妥当を欠くわけでもない点を考慮するとき、たとえ、右掲示内容につき、真実に反する点が若干あり、又申請人がその真否につき確認の方法を講じなかつた点があるとしても、それが全く許容できない違法行為であるということはできない。」（四国電力事件、高松地判昭三一・一一・二〇労民集七・一一・）。

などの裁判例があり、その態様やこれをなすに至つた経緯等にかんがみ、不当と認められる言動について、なお責任の阻却せられる場合があるとされる。

【151】「本件の如きビラ張りが、労働慣行として、鳥取市内の他の組合においても、従前からしばしば行われていたところであることはさきに述べたとおりであるから、組合結成後まだ日の浅い申請人等が、違法の認識をやや欠いていたであろうことは容易に考えられるところである。また、……会社がこれによつて蒙つた損害もビラを撤去するに要した費用等、きわめて軽微なものであることが認められ、……争議行為突入を数日後に控えて、闘争体勢をとつている際のかような組合活動の若干の行過ぎを以て、組合幹部全員が解雇に値するほど情状特に重いということは到底認め難い。」（前掲沢タクシー事件）。

【152】「右記事が『一人十殺』という表題を殊更大きく掲げ、『一人十殺でこの世をオサラバ、一人十殺とは、一人で十人を殺す事、この場合は、社長以下を指す文句であります』と誌していることは、誠に不穏当であり、この文言のみを読むときは、同申請人等の被申請人会社社長以下首脳者に対する殺意を大胆にも表明した

ものと解されてもやむを得ないであろう。しかしこれを配布した当時、組合は賞与二カ月分支給の要求を掲げて被申請人会社と闘争中であつたこと及びこれを配布するに当つては、被申請人会社に察知されないように警戒していたが、S会議又は統一グループの構成員以外の相当多数の従業員にこれが配布されたことは前認定のとおりであり、この事実と『なかま』に別紙『一人十殺』と題する記事以外にも賞与獲得を強調する記事が随所に発見されるという疎明により認められる事実を念頭において、右『一人十殺』の記事全体を通覧するときは、前記不穏当な文言の存在にもかかわらず、これが殺意を表明し、又は殺人を教唆煽動したものとは到底解することができない。寧ろ右記事は、労働者の極端な生活の窮乏を訴え、この窮乏を脱却するためには、一人で十人に当る気構をもつて、団結して被申請人会社に対抗し、ストライキの手段に訴えても、二カ月分の賞与を是非獲得しなければならないことを強調した趣旨と解するのが相当である。従つて、文書の用語が不穏当で非難を免れないとしても、その意味が不法なものではないのであるから、賞与の獲得が労働者にとつて切実な要求であるという社会経済事情を考慮に入れ、情状酌量するのが相当であり、同申請人等の右行為は、懲戒解雇に価しないものといわなければならない。」（銚子醤油事件、東京地決昭三一・八・二三労民集七・四・六七二、同旨同事件、東京地判昭三三・七・一八労働旬報三一六号）。

労働組合が組合活動の一環として、あるいはこれとならんで政治活動をなすことが許されるものである以上、政治的スローガンをかかげることはあながち違法とみるべきではない。つぎの事例は地方公務員に関するものであるが、市役所の従業員にとつては市の行政の運営が直接労働者の労働条件に影響するところが少なくないのであつて、市政批判のスローガンをかかげることも組合運動の正当な目的を逸脱するものとみるべきではない。

【153】「労働組合法第二条は労働組合を定義づけるに際して労働組合の目的を限定しているけれども、それには『労働条件の維持改善その他経済的地位の向上を図ることを主たる目的として』とあつて、労働組合法に

所謂労働組合を『労働条件の維持改善その他経済的地位の向上を図ること』のみを目的とするものに限定していない趣旨より考えれば、久留米市役所従業員組合が『市政の徹底的民主化』をその綱領として謳い『市政財政の徹底的民主化』『権力ボスの追放』等のスローガンを掲げ偶々市政粛正の声が一般市民の間に起つた際、之に和して組合としての意見を公表することは何等妨げなく法の予想する組合の目的を逸脱する行為とはなし得ない。」（前掲久留米市事件）。

右にみたところは、労働組合がそれ自体主体となつて政治活動を行う場合のことがらに属する。これに対し、政党の行う政治的宣伝の正当性については、それが組合活動とみなされるか、あるいはその責任が阻却される場合、もしくは「非合法的な具体的行動の伴わない抽象的理念の発表」に止まる場合（東北電気製鉄事件、盛岡地判昭二五・五・二四労民集一・三・四六二）等を除き、一般には正当な範囲を逸脱するものとされる。この点については、すでに「組合活動と政治活動」の項で触れたところであるが（【97】【98】【99】および東京急行、松島炭鉱事件参照）、その他にも、つぎのものがある。

【154】「……単に抽象的な政治的理念の表明たるに過ぎないものではなく、控訴会社和賀川工場の経営組織を変革して企業を労働者の共同管理にもつていこうとする具体的意図の表現たることが疏明し得られ……。」（東北電気製鉄事件、仙台高判昭二五・一二・二七労民集一・六・一〇七一）。

【155】「これらのビラは会社の施策を論難攻撃するにとどまるものではなく、会社従業員をして会社の経営方針に反対して、その協力を阻止しようとする意図のあることが窺われる……。」（科研化学事件、東京地決昭三〇・一〇・一五労民集六・六・一〇三七、一なお三菱鉱業夕張事業所事件、札幌地判昭二七・八・一二労民集三・四・三四四参照）。

【156】「日共葛飾地区委員会の意図は会社の秘密にしていた各人の昇給内容を暴露し、部課長ら会社幹部と一般従業員の離間を策し従業員の不満を煽ろうとするにあるのであつて……これが配布については亀有組合の

執行委員会において日共葛飾地区委員会の不当な介入干渉であるとして抗議がなされ、同委員会は右のようなビラを配布したことを陳謝したこと並びに当時組合は賃上要求に全力をあげ昇給問題を殊更にとり上げることを避ける方針であつた事実が認められる。右の事実関係を考察するときは申請人の前記行為は明白な組合の行動方針に反する行動といわねばならないのであるから、正当な組合活動ということはできず従つて右の行為にして会社の業務に対し非協力を示すものである以上会社から非難されてもやむを得ないものといわなければならない。」(日立製作所亀有工場事件、東京地判昭三一・四・二七労民集七・二・二四六)。

## 七　その他の争議手段

労働争議にあたつては、以上に述べた類型的争議手段のほか、さまざまな方法がとられている。そのすべてについて触れることはとうていなしえないが、ここでは懲戒解雇の対象となりうるかどうかをめぐつて争われた主なるものについて述べておこう。

(一)　会社製品の持出、保管　　会社の製品を持ち出し、あるいは組合の占有下に保管するということは、しばしば出荷阻止に附随して行われるところである。したがつて、これらの行為は出荷阻止の正当性との関連において論ずべきものであるが、会社製品の持出、保管という行為が積極的性格をもつところから、消極的、受動的な出荷停止行為に比し、違法性を帯びることが強いものといわざるをえない(北辰精密工業事件、東京地決昭二六・七・一八労民集二・二・一二五、昭和電工川崎工場事件、東京地決昭三一・八・一五労民集七・四・七八〇、小糸製作所事件、東京地決昭三三・一一・二四労民集九・六・八八四、三和電機事件、横浜地決昭三四・一一・一三労働旬報三六四号)。ただし、賃金の遅配等「紛争の原因に付ては法令に違反し自らの債務不履行によつて労働者生存を脅した会社側にも相当の責任があ」り、組合側にも「紛争を通じて先づ談合乃至説得の方法にのよつて事を解決しようとつとめ」るなどの事情が窺われるような場合には、責任を阻却することもありうるものと思われる（前掲北辰精密工業事件）。

（二）　ハンガースト　座り込みストとならんでハンガーストもしばしばみられるところである。ハンガーストの当否については、

【157】「その要求貫徹を目的とするハンガーストライキの正当性はいささか疑わしいが……。」（高丘製作所事件、東京地決昭二五・一二・二三労民集一・五・七七〇）。

というごとく、その正当性について疑問をもつものと、【112】のごとく、ハンストそのものには違法性はないとするものとがある。ハンストが生産手段に対する排他的占有となり　あるいは暴行脅迫による業務妨害となる等の別段の事情がなければ、ハンスト自体は自由行為の範囲内にあるものと思われ、とくにこれを不当視するいわれはないものと解する。

（三）　その他　全体としての争議行為が違法でなくとも、争議行為に際して行われる個々の行為が違法であれば、その違法部分について責任を問われうる。違法行為の態様はきわめて多様であり、枚挙にいとまがないが、若干特異なものをあげれば、会社の「宣伝車の周囲に蝟集し、一部の者はその前後に座込んで宣伝車操縦の自由を奪い右車に乗組んでいる人達をして車諸共現場を脱出する能わざらしめ且つその宣伝業務の続行を不能にし」、争議中結成された第二組合員宛におくらるべき荷物から荷札を剝取り、「社宅に於る暴力行為を伴つた示威行為により器物を損壊し、喚声をあげ投石してその居住者を脅迫し恐怖不安の念を抱かせ」（旭硝子牧山工場事件、福岡地小倉支判昭三一・六・一四労民集七・三・五三五）、あるいは「当日が給料

支払日であつたのに争議のため平常どおり支店において支払をなすことが困難な状況下にあつたので、会社支店として、その支払義務を果すべく給料の支払場所をX銀行に変更する旨を従業員に了知せしめるため掲示した」会社の告知書を破棄すること（九州電力佐賀支店事件、福岡地判昭三三・九・一八労民集九・五・六九一）などは、いずれも違法とされている。

## 四　労働協約違反の争議行為

労働協約が締結されると、協約当事者は、協約の存続中協約によつて設定せられた労働条件の基準を自己に有利なように変更しようとして実力行使に訴えてはならないという、いわゆる平和義務が生ずる。この平和義務は絶対的な義務ではなく、協約によつて設定された基準との関連において生ずる相対的な義務にすぎない。したがつて、平和義務によつては確保しえられないような事項については、さらに平和条項その他の争議協定によつて、紛争の平和的解決や抜打ち的な争議を防止しようとするのが常である。このように、平和的団体交渉の決裂後も直ちに争議行為に訴えることなく、労働委員会の斡旋または調停を申請し、それが不調に終つた場合にはじめて争議行為を行うというような趣旨の協定（いわゆる労働委員会条項）とか、争議行為を行うには一定期日の予告を必要とする旨の協定（いわゆる争議予告条項）などを、一般に平和条項とよんでいる。

ところで、ある争議行為が行われた場合に、果してそれが平和条項に違反する争議行為といえるかどうかがまず問題となる。たとえば、労働委員会条項に関し、労働委員会への斡旋を必要的前提として規定せず、「斡旋に附することができる」と規定せられているような場合は、労働委員会の斡旋を必ずしも必要とするものでないことは明らかであろう（ラサ工業事件、盛岡地判昭三二・三・五労民集八・二・一六五）。

ところで、平和条項、とくに争議予告条項の趣旨は、

【158】「労働協約のいわゆる平和条項とは、争議行為をなるべく避けるために定められた争議行為の前提手続や争議方法の制限を定めた条項をいい、その目的は争議行為という最悪の事態をできるだけ避け、また相手方に争議行為に対する準備をする余裕を与えるというところにあるというべきである。」（前掲ラサ工業事件）。

【159】「しかし右協約条項（争議予告条項―筆者註）の趣旨は、その文言から見て無警告のストライキを避けることを主たる目的として締結されたものと認めるのが相当であつて……。」（米軍横浜陸上輸送部隊事件、東京地判昭三四・九・一二労民集一〇・五・八六二）。

とみられるのである。したがつて、たとえば、全駐留軍労働組合と国との間の労働協約に「争議行為を行う場合は中央においては五日、地方においては二日以前に文書をもつて通知しなければならない」旨の定めがある場合に、全駐労X支部は昭和二八年七月一八日労務管理事務所長宛「ストライキ通告書」をもつて「一九五三年七月一八日以降ストライキに突入する。ただし実施の日時についてはその都度通知する」と通告し、X支部は組合要求について同月二一、二二、二三の三日間団体交渉を行い、さらに同月二七日には神奈川県知事側、軍側、全駐留神奈川地区本部の三者会談が開かれたが決裂し、X支部は同日夜先のストライキ通告にもとずいて翌二八日午前六時より七二時間のストライキを行う旨を神奈川県知事に通告し、同日よりストライキを実施したといつた場合に、七月一八日の争議通告が労働協約にいう争議予告にあたるかどうかが争われたが、

【160】「以上の諸事情から見れば、当初の争議予告は包括的ではあるが、組合の要求に関する団体交渉の決

裂等争議に入る常識的な事態の経過後にストライキに入る趣旨の通告と認められるから、相手方に十分ストライキに対処できる余裕を与えており、しかも団体交渉の決裂を経て通告後一〇日の後にストライキに入つているのであるから、無警告のストライキを避けようとする前記協約条項の目的は実質的には達成されていると認めるのが相当である。」（前掲米軍横浜陸上輸送部隊事件）。

同様に、

【161】「本件においては、昭和二八年一〇月三一日越年資金要求書が原告会社に提出されてから一二月一一日ストライキが開始されるまで約四〇日間ラサ労連と原告会社との間に数々の交渉がありその間には中央労働委員会も介在したのであつて、たとえ個々の行為に若干の瑕疵があつたとしても、被告組合は争議行為を避けるための努力を尽くしまた原告会社にスト対策をたてるための余裕も充分与えたのであつて、総体的に考察するときは前記平和条項を設けた趣旨に違背するところがなかつたものというべきである……。」（前掲ラサ工業事件）。

また、平和条項によつて課せられる義務は、相手方の態度や対抗行為と相対的に考うべきものであるから、一方の相手方が平和条項を無視して争議行為にでた場合とか、協約の存在ないし特定事項の効力そのものを認めないため、有効な協約を防衛するために行う争議行為などについては、平和条項違反の問題は起らないと解すべきである。

【162】「被申請会社は組合は此の平和条項を先づ自ら破棄して争議行為を行つたと主張するが本件の如く協約防衛争議である以上平和義務違反の問題は起らない。」（日本セメント香春工場事件、福岡地飯塚支判昭二四・九・二一労働資料七・七八）。

これに反し、労働協約に労働委員会条項および争議予告条項があり、また、「会社及び組合は本協約締結の趣旨に基き、互に信義と誠実とを以て紛議の平和的解決に最善の努力を払うものとする」

(協約一四〇条)旨の規定がある場合に、賃金体系をめぐつて労使間に紛争が生じ、労働委員会の調停中組合は自己の主張を有利に導くために、中元時の休日営業および時間外労働についての協議を一切拒否すべきことを指令し、またいわゆる定時出勤闘争を行つたところ、後者については平和条項に違反する争議行為といわざるをえないが(【19】参照)、前者の協議拒否については、

【163】「右協約第百四十条にいう『平和的解決の努力』と甚だしく異なるものとはなし得ない……。」(三越事件、東京地判昭二六・一二・二八労民集二・六・六五四)。

とされる。

平和条項は、もとより争議権の行使を直接制限するものではなく、すでに述べたように、使用者との関係における紛争解決のための手続的規定である。

【164】「そこで平和条項違反の争議行為の責任の限度について考えて見るのに、もともと平和条項は会社と組合との関係を定めた協定であつて、争議の開始に関する手続的な制約を定めることによつて、争議権の行使が自然的に制限されることを期待したに過ぎないもので、争議権そのものを放棄したものではない……。」(三石耐火煉瓦事件、大分地臼杵支判昭二九・一〇・二〇労民集五・六・六二八)。

したがつて、たとえば、争議行為の発生前すでに事実上の争議状態にあり、使用者としても、もはや争議行為の通告の有無は実質上とくに問題とされるほどのものでもないようなときには、争議予告のなかつたことをもつてこれを違法視することは妥当ではない。

【165】「被申請人会社に於ては引続く賃金遅配のため本件争議実施の約十月前から業務放棄等事実上の争議状態が発生していたこと、出荷停止の争議は既に二回行われたこともあり会社側もその内容を十分知悉してい

たこと、本件トランスをめぐる紛争の最初に組合幹部から会社側重役に対して争議に関して口頭で通告し、これに対し会社側も予告の有無については特に問題としなかつたことが疏明されているから、予告のなかつた点だけを捉えて本件争議を違法とすることはできない。」（北辰精密工業事件、東京地決昭二六・七・一八労民集二・二・一二五）。

平和条項違反の争議行為の責任については、右にみたように、平和条項が使用者に対する争議開始の手続的規定と解する限り、それが協約の存続に重要な影響をもたらすことはあつても、企業内の規律および秩序を乱すものとはいえず、争議参加者の責任までを追及するのは妥当でないと思われる。

【166】「次に協約第百四十三条及び第百四十四条（労働委員会条項及び争議予告条項—筆者註）は、組合についてみれば、争議権の行使につき組合に義務を負担せしめ、その遵守されることにより争議権の行使が自然に制限される結果を来すことを目的としたものと解せられ、争議権の行使を直接制限したものとは解せられない。然らば、同条に違反する争議権の行使も右義務の不履行に止り、信義に反し或は争議権の濫用の場合はあり得ても、争議権の行使を直に禁止を犯すものと断ずることができないものと考えられる。従つてかような争議権の行使の場合においては、前記義務の不履行を伴うに止り、争議行為を組成する個々の行為が違法なる場合と異り一般組合員についてはその争議行為を労働組合法第七条にいう正当な組合活動とみるべきものと言わねばならない。」（前掲三越事件）。

【167】「……この協定に違反してなされた争議行為はその限りに於て違法となるのであつて、これを組合について見れば、組合自身がこの手続違反によつて生じた損害を賠償すべき責任を負うに止まり、他に特別の事由のない限り一般組合員は如何なる責任をも追求されることはないと解すべく、従つて一般組合員については、その争議行為に参加することは、原則として之を労働組合法第七条にいう正当な組合活動と見るべきものといわねばならない。」（前掲三石耐火煉瓦事件）。

もっとも、かような平和条項違反の争議行為を立案指導する組合幹部は、他の一般組合員と異なり、違法な争議の指導という点において懲戒責任を負うべきではないかという問題がある。この点については、

【168】「原告は、米軍がXを雇用することが軍の利益にならないとした理由の一半は同人において協約違反を指導し敢行せしめたことにあるというが、証人Aの証言により認められるように本件争議は闘争委員会の決議に基いて行ったのであるから、Xが組合の委員長の地位にあったからといって、直ちに本件争議を指導、敢行せしめたとはいいがたく、その他右主張事実を肯認するに足りる証拠はない。」(前掲米軍横浜陸上輸送部隊事件)。

とされ、この判旨からすれば、協約違反の争議行為を立案、指導もしくは敢行した組合役員は、その責任を問わるべきことを肯定するかのごとくにも見られるが、平和条項違反の責任は、協約上の債務不履行という意味での責任に限らるべきであると解すれば、否定すべきものであろう。

【169】「申請人ら(組合幹部―筆者註)が組合をして前記協約違反の争議行為をなさしめたることは、組合をして右協約に定める義務を不履行せしめたるもので、これが会社と組合との間に設定されたる関係を乱すことは言うまでもないが、これが企業に本来存する規律並に秩序と別個のものと考えられること前記の通りであるので、申請人らの右行為をもって前記協約にいう規律を乱し秩序を破るものとはなし得ないものと考えられる。」(前掲三越事件)。

# 五　労調法による争議行為の制限禁止

## 一　安全保持施設運行停廃の争議行為

労働関係調整法第三六条は、「工場事業場における安全保持の施設の維持又は運行を停廃し又はこれを妨げる行為は、争議行為としてもこれをなすことができない」と規定する。

右法条にいう「安全保持の施設」とは、「人命の安全保持のための施設」を指すものと解するのが、通説である。裁判例もこの見解をとる。

【170】「原告らはまず、被告が本件命令の中で、原告病院に勤務する薬剤士、看護人、看護婦は、労働関係調整法第三六条にいわゆる『安全保持の施設』にあたらない、と判断したことが誤りである、と主張しているが、同条にいわゆる『安全保持の施設』というのは、人命、身体に対する危害予防、もしくは衛生上必要な施設そのものを指すことが明らかであつて、これをどのように解釈してみても、原告病院に勤務する従業員である薬剤師、看護人、看護婦がここにいう『安全保持の施設』にあたらないことは明らかである。」（新潟精神病院事件、東京地判昭三四・一〇・二二労民集一〇・五・九四八）。

【171】「元来炭坑においてストライキ中組合側が保安要員の提供を拒否したり、又は保安要員を引揚げたりする行為は現に何人も入坑していないときにおいて保安要員の差出を拒否するものであるから人命の安全をなんら害しないこと明白であつて、人命の安全保持を目的とする労働関係調整法第三十六条に所謂、工場、事業場における安全保持施設の正常な維持又は運行を停廃し、またはこれを妨害する行為に当らないことはいうまでもない。」（樋口鉱業事件、福岡地飯塚支判昭二九・一一・一九労民集五・一　五一）。

したがつて、労働関係調整法第三六条に違反しないかぎり、当該争議行為によつて使用者がいかなる経済的損失を蒙むつたとしても、これがため当然にその争議行為が違法となる理はないのであるが、工場事業場にとつてはとくに危険度の高いものもあり、条理上争議行為が制約さるべき場合があるのではないか、という議論がある。

こうした問題に関連して、火薬工場および精神病院における争議行為について、つぎのような裁判例がある。

【172】「……そして右火薬類の取扱に関しては、火薬類による災害の防止と公共の安全確保を目的とする火薬類取締法、同法施行規則及びこれに基き会社が定めた危害予防規程等があり、その法令、規程は独自の法的根拠に立ち、労働関係法規とは並列的関係にあるものであるから、使用者、従業員の区別なく厳格にこれを遵守すべく、組合が争議行為をなすに際しても右法令、規程に違反することは許されず、これに反する争議行為は法の保護に値しない違法なものというべきである……。しかしながら、現行の労働関係法規の下においては、火薬工場における争議行為についてなんら特別の制限がなされていないから、火薬工場における労働者は他の一般労働者と同じようにその正当な主張を貫徹するために争議行為をなし得ること勿論であり、火薬工場における争議行為であるというだけでその正当性の範囲を特に一般の場合より狭く解すべき理由はない。」（日本化薬厚狭作業所事件、広島高判昭三四・五・三〇労民集一〇・三・五三一）。

【173】「精神病院における業務の停廃は、ただに患者の治療を阻害するのみならず、患者の自傷、他傷等生命、身体に対する危険を招来し、または、狂騒、逃亡等による社会不安を惹起する虞のあることは容易に首肯しうるところである。しかしながら、このことから直ちに精神病院においては正当な業務の運営を阻害する一切の争議行為が許されないとなすことは早計であつて、要は、右のような事情からして精神病院における争議行為は、労働関係調整法第三十七条の予告期間の制限と、患者の生命、身体の安全及び公共の静ひつを保持すべき条理上の制限に服すべきであるという点において、他の一般の争議行為と異なる特性を見出しうるにすぎない。」（新潟精神病院事件、新潟地決昭三一・八・一〇労民集七・四・七七三）。

【174】「精神病院にかぎらず、病院、診療所などの医療施設においては……〔その〕使命を果すためには、医療施設の管理者、医師、看護人、看護婦その他の従業員すべてが、人道上の立場から自己の職務をそれぞれ誠

実に遂行しなければならないのはもとよりのことであるが、ことに治療行為そのものについては、いささかもゆるがせにすることは許されない。このような観点から考えるときは、医療施設とくに精神病院における争議に際しては、使用者も労働者も、ただ患者の生命に直接ただちに危険が発生しなければさしつかえがないというような考えのもとに、その業務の特質に基因する上述のような責任を尽すについての配慮を充分にめぐらさないままに各自闘争行為を行うことが許されないことは、精神病院の特殊な任務および性格、直接または間接に争議の影響を受けざるを得ない患者が通常人としての判断および行動の能力に欠けるものであること、環境に由来する精神的影響が敏感に患者の病状に反響するおそれのあることなどにかんがみて、当然であるといわなければならない。すなわち、労使双方ともに、争議にあたつては、細心の注意を払つていやしくも患者の病状に影響を与えるおそれのあるような行為を極力慎しみ、必要やむを得ないときでも最小限度にとどめるべきものであつて、争議行為がその方法、態様などにおいて、右のような点について社会通念上必要かつ妥当な範囲を超えるにいたつた場合には、争議行為として正当性の評価を受け得ないものというべきである。そうだとすると、精神病院の従業員によつて行われた争議が違法なものであるかどうかを決めるについては、当該争議行為だけに着眼して判断すべきではなく、使用者のとつた態度も考慮の中に入れなければならないのである。ことに後述するように本件において組合の行つた争議が違法であるかどうかを決めるについて重要な契機となる点であるが、看護人、看護婦による治療の介補業務の放棄についても、使用者が相応な努力をすれば争議に関与していない従業員の協力、あるいは他から代替の要員を得るなどの方法によつて患者に対する治療行為を全うすることができるのにもかかわらずその努力をせず、患者の病状に対して充分の配慮をつくさないでいるような場合において、その行為のみをとらえて、一がいに違法な争議行為だときめつけることは許されず、使用者が右のような努力をしてもとうてい患者に対する治療を全うすることができないような客観情勢にある場合、あるいは使用者の努力にもかかわらず治療を全うできないため労働者に協力を求めたのに、労働者がなおこれにも応じない態度に出たような場合に、はじめて争議行為が違法性をもつに至るものというべきである。」（新潟精神病院事件、東京地判昭三四・一〇・二二労民集一〇・五・九四八）。

右の諸裁判例は、工場事業場の特性によつて、争議行為にあたり細心の注意を要することのあることは認めるとしても、そのことから争議行為そのものが特別の制約をうけるものでないことを明らかにしており、とくに【174】は、使用者のとるべき態度をも考慮してその正否を決すべきであるとしているのは注目に値する。

しかし、これと反対の立場に立つとみられる裁判例もないではない。いわゆるスト規制法（昭二八法一七一）の制定によつて、現在停電ストおよび鉱山における保安要員の引揚げストは制限されるところとなつたが　同法制定前における保安要員の引揚げにつき、

【175】「然しながら本来、労働者の争議行為というものは、労働者が使用者との間に個別的労働関係即ち雇傭関係を存続せしめつつ、その基盤の上に、集団的、組織的行動を以て使用者から有利な労働条件を獲得し、職場に復帰することを目的とする一つのかけ引き又は自己発展のための方便にしか過ぎないから争議行為の結果、全体としての労働者が論理的に又は事実上、職場復帰の可能性を全く奪われるか又は奪われてしまう虞れある場合には当該争議行為はそれ自体許されないものといわなければならない。従つて、炭坑における保安要員の入坑拒否の如く一般的にみて、坑内の溢水、落盤、自然発火、ガス爆発、有毒ガス充満等の非常事態を導き炭坑を廃坑に陥らしめ、石炭資源を滅失せしめる公算大なるものは斯かる事由の存在せざる特段の事情なき限り争議終了後、労働者の職場復帰を不可能にする虞れある行為としてそれ自体争議行為の範疇に属せず、仮りに属するとしても許されないものといわなければならない。」（前掲樋口鉱業事件）。

しかしながら、右の判旨のように、保安要員の引揚げは、直ちに「炭抗を廃坑に陥らしめ、石炭資源を滅失せしめる」ものとして、「一般的」にこれを許さないとすることには疑問がある。けだし、スト規制法三条においても、同条は保安放棄のすべてを禁止するものではなく、同条後段に規定するような重大な危害が少なくとも明白かつ現実に発生するようなものでなければ、これを禁止するものではないと解されるのであるから、かりに保安要員の差出しを拒否すべきではないとの立場をとるにしても、スト規制法の制定前において、とくに同法以上に厳格な解釈をとらねばならない理由はなんら存しないからである。

なお、特殊な事例として、戦後連合国最高司令官によつて指定された賠償施設における争議行為については、賠償指定施設という特殊性にもとづいて、保全要員を含めた争議行為を行うことは許されないとした裁判例がある。

【176】「……日本国民は前示最高司令官の指示に依り『施設を良好なる状態に於て保存する為適当なる維持を完うする事』を命ぜられて居り、……日本国民各自も亦連合国を代表する最高司令官に対し直接賠償指定施設保全に協力すべき法的義務を負うている。斯様に労働者自身最高司令官に対し直接施設保全に協力すべき法的義務を負うているのだから保全作業は争議と切離して遂行せらるべく、労働者が経営者に対する自己の要求貫徹を理由に争議手段として自ら負担している最高司令官に対する此の義務を怠る事は許されない。従つて管理担当者に於て管理保全上為さねばならぬ業務と認めて其の遂行を命じているものを保全要員が拒否する事は争議行為としても之を為し得ないのみならず、保全要員でない者も保全要員を教唆して斯様な争議行為を為さしめ或は共謀して之を行う事は許されない。」（日本製鉄八幡製鉄所事件、福岡地小倉支判昭二五・五・一六労民集一・三・三〇一）。

二　公益事業における予告制度等の規定に反する争議行為

公益事業の当事者が争議行為をする場合には、その争議行為をしようとする日の少なくとも一〇日前までに、労働委員会および労働大臣または都道府県知事にその旨を通告しなければならず、また、緊急調整の決定があつた公益事業については、右の通知は、決定公表の日から五〇日を経過した後でなければすることができないとされており（労調法三七条）、さらに、昭和二七年法律二八八号による改正前の旧労働関係調整法第三七条は、労働委員会に対して調停の申請または請求がなされ、もしくは労働委員会が職権調停の決議をした日から三〇日を経過した後でなければ争議行為をすることができないと規定していた。このような争議行為の開始に関する労働関係調整法第三七条の期間の起算点をどこに求めるかについては、旧規定に関するものとして、その基準をつぎのように述べる裁判例がある。

【177】「……争議の目的となつている要求が新らしい要求か、それとも従前の要求の単なる一部追加又は訂正とみるべきか否かを決するには争議の当事者なり、調停委員会なりが、争議解決のための準備や調停ないし斡旋を新規にやり直さなければならない程度のものかどうかを基準にして考えるべきである。」（日本通運事件、秋田地決昭二六・六・一一労民集二・二・一一三）。

けつきよく問題は労働組合側の要求が、当初の要求事項とどの程度関連性をもつて労働関係調整法第三七条の要件を満足せしめうるものとみるかの具体的判断にまつほかないが、つぎのような場合は、第三七条のいわゆる冷却期間を経過した争議行為ではないとされる。

【178】「この点について申請人等は前記私鉄経営者協会と総連との間の賃金問題団体交渉について中央労働委員会に対し昭和二十三年十月八日調停の申請がなされたので、暫定賃銀については爾后三十日の経過によつ

て争議権が発生しているし、前記越年資金要求は同年十二月分暫定賃銀と共に併せて要求したものであるから当然越年資金について右争議権にもとずいて争議行為をすることが許されるという主旨の主張をするがこの主張は理由がない。……なるほど被申請会社の加盟する私鉄経営者協会と、大分交通労組その他の単位組合から構成される全国私鉄労働組合総連合会の双方から昭和二十三年七月分以降の本格賃銀問題について昭和二十三年十月八日中央労働委員会に調停の申請がなされ、以来今日に至るまで協定が成立していない事実が認められるから、右申請の日から三十日を経過した後は前記本格賃銀について関係当事者が争議行為をする権能を生じたことは疑がない。併しいわゆる越年資金は本質的に臨時的一回的な給与であつて、経常的な労賃率にもとずく本格賃銀とは別異のものであるし、又本格賃銀の協定成立後清算せらるべき性質を有するいわゆる暫定賃銀とも性質を異にする。従つて本格賃銀について前記のように争議権を生じた場合暫定賃銀問題についてこの争議権を行使できるかは多少議論の余地もあろうが、少くとも越年資金のみを当面の目標とする限りこの争議権にもとずいて争議行為をすることは許されないと解すべきである。」（大分交通事件、大分地判昭二四・二・一六労働関係民事事件裁判集三・二八）。

【179】「……中央労働委員会に提訴された本格賃金は東京都七月の物価水準を基礎として、一九四七カロリー表に基く賃金算出方法により算出された賃金の要求であつたのに対し、本件越年資金は前年度の越年資金家族持三千円、独身者二千円に物価騰貴率の概算二・七を乗じて家族持八千円、独身者六千円として要求したものであつて、越年資金は昭和二十三年十二月二十一日解決されたが本格賃金は昭和二十四年三月三日一時金五千万円として解決せられたこと明かである。大体越年資金は本質的に臨時的一回的な給与であつて経常的な労賃率に基く本格賃金とは全然別個のもので、その性格を異にするのみならず、右の如く本件越年資金は前記本格賃金とはその算出方法をも異にし、その要求も全く別個に出されたものであつて、解決の結果もその間に何等の関係がないのであるから、本件越年資金は前記本格賃金の枠外であつたこと明白で、従つて本格賃金についての争議権を本件越年資金要求について行使することは許されない。」（西日本鉄道事件、福岡地判昭二五・四・八労民集一・二・一五八）。

同様に、中央組合において、(1)労働協約の改訂、(2)四月以降の本格賃金の改訂、(3)退職慰労金制度の改正、(4)結婚資金、(5)寒冷地手当の五項目について調停の申請中、組合支部が独自の立場で、(イ)就業時間中の組合活動に対する賃金不支給の通告即時撤回、(ロ)四月賃金一万二千円即時支給、(ハ)雪害寒冷地手当組合要求の即時支給、(ニ)臨時作業員の即時入籍、の四項目を要求して争議に入ったことにつき、

【180】「本件罷業における要求項目の内の前記(イ)及び(ニ)の二項目は全日通が中央労働委員会に調停申請をなした(1)ないし(5)の事項と全く関連のない新な事項で新潟地区独自の立場に基くものであり、しかも此の二項目を主たる目的としたものであることが疏明されるから本件争議は、新潟地区が全日通とは関係なく独自の立場においてこれをなしたものと云はざるを得ないのである。従つて全日通がなした前記調停申請は新潟地区の本件争議について労調法第三十七条所定のいわゆる冷却期間の起算点としての意義をもたないのである。」(日本通運事件、新潟地決昭二六・八・一一労民集二・四・四〇三)。

と述べ、法違反の争議行為であるとしている。

労働関係調整法第三七条に違反する争議行為が行われた場合の責任の有無については、すでに述べたところであるので(「争議方法の正当性」(三)(2)参照)、そこにゆずる。

なお、労働関係調整法による争議制限に関する規定としては、第三八条、第二六条等の規定があるが、これらに関する裁判例は見当らないので、ここでは省略する。

## 六　争議行為を理由とする解雇

## 一　正当な争議行為と解雇の適否

憲法第二八条の争議権保障の規定をうけて、労働組合法第七条第一号は労働者が労働組合の正当な行為をしたことの故をもつてその労働者を解雇することを、使用者の不当労働行為として禁止する。ここにいう「労働組合の行為」のうちに争議行為が含まれることは明らかであるから、正当な争議行為がなされたにもかかわらず、その労働者を解雇することが許されないことはいうまでもない。すなわち、争議行為は本来使用者の指揮命令権を排除して行われるものであり、ことにストライキは労務の提供義務を拒否することを本体とするから、その期間中労働者に対する使用者の業務上の指揮命令権は及ばず、仮りに使用者のなす業務命令を無視したとしても、これをもつて通常の職場秩序の違背を理由に、その責を問うことは許されないものといわざるをえない。

【181】「……争議中に於ては上命下従の関係は否定され、正当な範囲にとどまる限り争議権の行使が許されるのであるから、正当な争議行為が職場秩序違背の理由で懲戒の対象となることはない……。」(九州電力佐賀支店事件、福岡地判昭三三・九・一八労民集九・五・六九一)。

【182】「およそ、労使間に労働争議が発生し継続している期間内においては、使用者と労働者との間に存している一般的な通常の信頼関係は、一時的に破綻して消滅しているものというべく、しかも、その争議行為が、本件におけるように、労務提供拒否ストである場合においては、その期間中、使用者の労働者に対する業務上の指揮命令権は、一時的に麻痺して停止されている状態であると解さなければならないのであつて、その際、仮に、使用者が労働者に対して、労務を提供すべき旨の業務命令を発し、或はスト中止乃至ストの効果を減殺するような内容を有する業務命令を発したとしても、労働者としては、それらの業務命令を無視した上、所属

組合の指令に従い、組合上部機関の指揮のままにストを続行し、或はストの効果を減殺されないように所謂『ピケット・ライン』を張り、若し何人かが『スト破り』的な行為をなさんとする場合においては、相当な程度においてこれを阻止しようと努めることは、組合員たる労働者において当然なすべき義務の履行であるといわなければならない。そして、申請人らの行為中前記の業務妨害的行為が……その阻止の方法、態様が、労働法上許された相当な程度である限り、所謂正当な行為として、民事上も刑事上も何らの責任がないわけであるから、会社においても、それらの行為を以て懲戒原因となすことの許されないことは当然である。」（四国電力事件、高松地決昭三〇・一〇・一〇労民集六・五・六九四）。

【183】「争議行為は業務の正当な運営を阻害することをその概念内容とするものであるから、これがため使用者の業務上の指揮が排除されるのは当然である。従つて、組合の争議行為が形式上服務規定の懲戒解雇事由に該当するとしても、正当な争議行為である以上、これを理由には解雇し得ないこと勿論である。」（和光純薬工業事件、神戸地決昭二五・六・八労民集一・四・五〇五）。

このように、労働争議状態においては、労使間の「通常の信頼関係は、一時的に破綻して消滅して」おり、形式上の服務規定は排除されているわけであるから、たとえば、入出門にあたつて、通常の場合に要求される入出門手続を遵守しなかつたとしても、これをもつて不当視することはできない。

【184】「争議中入出門手続が守られなかつたことは前示のとおりであるが、しかし、職制である所属長の検印を要する入出門手続を争議中も遵守することを求めるのは組合活動を甚だしく制約するものでもあり、争議中右手続をとらぬことをもつて不当な争議行為と認めるに足りない。」（本田技研工業事件、東京地決昭三三・一一・二四労民集九・六・一〇一三）。

ただし、ストライキと異なり、組合の明示的な指令がなくして一部組合員が怠業を行つたような場合には、事情によつては使用者がこれを知りえないこともありうるのであつて、こうした場合に、使用者が怠業中の成績を問題とすることも無理からぬものとされることもありうるであろう。

【185】「同組合は当初ハンガーストライキを行い（同申請人は、この実行に参加しなかつた。）その後同年七月末項正式に安全運転の指令を発したのであるから（ただし、当初は日をかぎつて指令し無期限に指令したのは同申請人の解雇後である。）、仮に同申請人が組合の安全運転の指令が出る前に組合機関の指示によらずに組合内の有志と共に営業収入を故意に下げる争議行為をとつたとしても（この点に関する同申請人の陳述以前にこれに相応する主張がなかつた点等から見て、同申請人がかかる行為に出でたとの疎明は当裁判所は採用しない。）、右の事情が会社側に知られていたとの主張、立証のない本件では、……争議後より七月末項までの成績をも参酌して同申請人の成績を不良と判断したことを会社側の恣意に出でたものとすることはできないし、争議中の成績を問題とすることと自体が誤りとすることもできないところである。」（メトロ交通事件、東京地決昭三三・九・二五労民集九・五・六二七）。

## 二　解雇と不当労働行為

憲法第二八条は、歴史的発展にもとづいて事実上存在する労働者の団結を承認し、これに憲法上の保障を与えたものであるが、同時にその性質上憲法第二五条の生存権の保障を具体化しようとするものであるということができる。そして、労働者の団結は、常に社会的対抗者たる使用者を予定し、利害の相対立する場において構成員の利益を相手方に主張し対抗せしめることによつて、構成員の利益を擁護しようとするものである。このことから、憲法第二八条は、国と「勤労者」との関係を規律したものではあるが、同時に使用者に対する関係においても権利性を保障し、労働者と使用者との間における右の保障に反する侵害行為の反価値性を承認する態度を表明したものというべきである。すなわち、憲法によつて保障される争議権の内容は、(1)正当な争議行為は罰せられない（労組法一条二項）、(2)正当な争議行為は使用者から損害賠償の請求をうけない（労組法八条）、(3)団結権等を侵害する使用者の行為は法的価値を否定せられる（労組法七条一号）ことを含むものと解される。もつとも、(3)の点に関しては、後述するごとく異論がないではないが、通説、判例は不当労働行為たる解雇を無効とし、第一次的にも司法的救済を認めている。

ところで、労働組合法第七条第一号にいう労働組合の「正当な」行為とは、いかなる範囲のものを意味するのか、とくに刑事免責や民事免責をうける場合の正当性とその範囲を異にするや否やという問題がある。これらは、それぞれの制度の立法趣旨ならびにこれによつて保護しようとする争議権の各内容を憲法の趣旨に照らして判断することが必要であるが、労働組合法第七条第一号の「正当な」ということの意義については、まずその行為は、行為者の主観ないし認識のいかんにかかわらず、客観的に考察すべきであるとされる。

【186】「而して労働組合法第七条第一号に所謂労働組合の正当な行為であるか否かを決するに当つては専ら行為を客観的に考察し現実に行われる行為に付定めるべきで行為者が希望或いは期待し又は認識したか否かは関係ないもので、只不可抗的客観的原因の介入に依つて現実として行われる行為が行為者の認識しない行為となつた場合のみ使用者の解雇権に影響あるに過ぎないものと解すべきである。」（北国銀行事件、金沢地判昭二五・三・六労民集一・一・六五）。

しかし、労働組合法第七条第一号における正当性を判断するに当つて必要なことは、使用者が解雇（懲戒解雇）という企業外への追放行為をなしたとしても、それが団結権への侵害行為として反価値的判断をうけない程当該解雇がやむをえないものであつたかどうかということでなければならない。

【187】「しかしながらそれだからといつて右組合活動が労組法第七条第一号にいう正当性を失うものと速断することはできない。何となれば同法同号にいう組合活動の正当性は労働者の具体的な組合活動に対して使用者のなした解雇等個々の不利益処分が同法の精神に照し許容されるかどうかの相対的な観点より判断すべきものと解するのが相当であるので、その組合活動の違法又は不当性が労働慣行上軽微であるため、これを理由とする解雇その他の不利益処分が客観的妥当性を失う場合には、その不利益処分は許されないものというべく、従つてこの意味において正当な組合活動というを妨げないからである。」（駐留軍追浜兵器工場事件、東京地判昭三一・一〇・一〇労民集七・五・八九五）。

【188】「労働組合法第七条第一号に『労働組合の正当な行為をしたことの故をもつて労働者を解雇する』とある場合の正当な行為中には多少不当なりともその程度の甚だしくない行為をも包含するものと解するを相当とする……。」（日本製靴事件、東京地決昭二四・一一・一労働資料七・一八七、同旨松浦炭鉱事件、長崎地佐世保支判昭二五・一一・二〇労民集一・六・九四五）。

このように、解雇（懲戒解雇）という行為にあつては、使用者と労働者との間の信頼関係が解雇によつて断ち切られてもやむをえないほど、当該争議行為が団結権の行使としては反価値的なものとみなされるかどうかによつて判断することを要するわけであるから、その限りにおいては、国家的立場からみて当該行為が刑事免責をうけるかどうかの判断基準とは異なりうるものといえよう。この点について、つぎの裁判例がある。

【189】「しかし、本件各懲戒解雇処分の違法性を判断するについては、それらの行為が、刑事上業務妨害罪を構成するか否かということは、格別重要な意味合をもたない。従つて、仮にそれらの行為が刑事的見地から業務妨害罪の成立を肯定されるような結果を生ずるとしてもそのことから直ちに、当該行為を以て、その行為者に対する懲戒解雇の原因となすに足る正当な事由であると考えることは、許されない。寧ろ、反対に、それらの行為が、すべて争議中という異常な事態の下において、偶発的且つ瞬間的になされた些細な行為であつて、

刑事的に考えてみても、せいぜい、罰金三、〇〇〇円乃至五、〇〇〇円に相当するような軽微な事犯であるとすると、それらはいずれも懲戒解雇の原因となすに足らないものであると解するを相当とする。蓋し、それらの行為は、すべて大局的にみて会社の正常な業務運営を阻害したわけのものでもなく、又その行為の性質上、会社における使用者と各行為者との間の平常時における正常な信頼関係をさまで破綻せしめるような重大な事柄ではないと看做されるからである。」（四国電力事件、高松地決昭三〇・一〇・一〇労民集六・五・六九四）。

わが国の不当労働行為制度を、憲法における団結権の保障措置と関連させてどのように位置づけるかは、争いのあるところである。たとえば、不当労働行為制度を団結権侵害に対する特別の救済制度とみて、右の価値否定の方式ないし限界を、第一次的に労働委員会の専属的管轄であるとし、解雇無効等による司法手続上の救済を排除したものであると主張する見解がある。しかし、既述のように、憲法上の団結権の保障は、国家に対する関係においてのみならず一般私人に対しても効果を及ぼしうるものであることを表明しているものであるから、労働組合法の憲法第二八条に対する法体系上ならびに内容上の関連よりして、同法第七条の規定は、憲法が団結権保障の直接的な効果として認めるところの内容を、典型的かつ慣行的なものに類型化し、これを確認したものと考えるのが、もつとも自然であると思われる。通説、判例も不当労働行為たる解雇を無効とし、使用者による組合活動の妨害を、労働委員会の救済手続とならんで司法機関により排除しうるものとしている。

右に述べたように、判例は一貫して解雇の無効説をとつているのであるが、その理由ずけは必ずしも一様ではない。かつては、単純に、

【190】「強行法規である右（旧）労働組合法第十一条に違反する前示解雇の申入は法律上当然に無効であると

解しなければならない。」（鶴岡東宝事件、山形地鶴岡支判昭二三・一一・二四労働関係民事事件裁判集二・三八）。

【191】「右申請人等六名は結局組合幹部として正当な組合活動をした故に解雇されたものであり、不当労働行為として本件解雇はいずれも無効たるを免れない。」（日本セメント事件、東京地決昭二五・一・三〇労民集一・一・一三）。

などと判示したものが多かつたが、その法理をやや詳細に述べたものとしては、たとえば、

【192】「(旧)労働組合法第十一条並に(旧)労働関係調整法第四十条の法意は、共に勤労者の団結権及び団体行動権を直接に保障するものに他ならず、勤労者の有するこれらの権利は公共の福祉に反しない限り侵されることのないものであるから、これを保障する為に存する右両法条に違反してなされた行為は単に事実行動としての面から処罰されるばかりでなく、法律行為としての面からもその効力を生ずることは許されないものといわなければならない。」（帝国石油秋田鉱業所事件、東京地判昭二四・八・一八労働資料七・一二一五）。

といつた裁判例がある。

解雇の無効を反公序性に求め、また民法第九〇条に根拠を求めるものもある。

【193】「不当労働行為である解雇が無効であることはそのような解雇が憲法第二十八条に基く労組法第七条に違反するものであつて、公の秩序に反する法律行為に該当すると考えられるからであり……。」（米軍羽田輸送部隊事件、東京地判昭三二・一〇・一五労民集八・五・七五六）。

【194】「一般に不当労働行為を構成する解雇の意思表示が無効と解せらるる理由は、使用者において解雇の意思表示をする目的が団結権の侵害にあつて、結局憲法第二八条によつて表明せられている公の秩序に反するものとして権利濫用の評価を受ける点にある。」（山恵木材事件、東京地判昭三三・一二・二四労民集九・六・九八四）。

【195】「本件解雇は労働組合法第七条第一号に該当するもので甚しく不当であり民法第九〇条に則り無効であるといわねばならない。」（東京観光事件、東京地決昭三二・一一・三〇労民集八・六・一〇二〇）。

最近においては、右の公序を労働関係の公序と表現しているものもかなり見受けられる。たとえば、【196】「本件解雇の意思表示は不当労働行為と認めるのが相当であり、このような法律行為は労働関係の公序に反し無効というべきである。」（大東京タクシー事件、東京地判昭三三・一〇・三一労民集九・五・六六一）。

不当労働行為の成否に関しては種々な問題がある。とくに、一方において正当な組合活動があり、他方において解雇に値するような事情がある場合の不当労働行為の認定はかなり困難であり、これをめぐつて学説、判例の上に論議のあるところであるが、不当労働行為については、別に他の稿でとりあげられる筈であるので、ここではこれ以上立ち入らないことにする。

## 三　違法な争議行為と法的責任

（一）　争議行為と懲戒解雇　　争議行為が違法であると判断される場合、使用者は直ちに解雇（懲戒解雇）をなしうるであろうか。もつとも、違法な争議行為の責任追及は、すべて懲戒処分としてなされているのが実際であるから、ここでも懲戒解雇の問題を念頭において考察することにする。ところで、違法な争議行為が行われたからといつて直ちに懲戒解雇権が発生するものではない。一般に、懲戒解雇が許されるためには、解雇以外の処分をもつてしては、とうていその目的を達しえないという客観的に明白な経営秩序や規律違反性を必要とするのであるから、この程度に至らない違法な争議行為を理由としては懲戒解雇をなしえないものといわねばならない。

問題は、違法な争議行為に対して就業規則が適用されるか、したがつてこれにより懲戒できるかということであるが、もともと経営秩序や規律違反としての就業規則による懲戒処分は、平常時における個々の従業員の非行を対象とするのが本体であるところから、組織的行動としての争議行為に対して適用することについては否定的な学説も少なくないが、裁判例はひとしくこれを肯定している。

【197】「そこで、右のような争議行為時に生じた行為が懲戒の対象たりうるかについて考えてみるに……争議行為が暴力の行使其の他違法にわたつた場合は、民事刑事の責任を生ずるのは勿論、それが職場秩序を乱したときは懲戒責任を免れ得ない。換言すれば、争議行為が違法であつて民事上、刑事上の責任を生ずる場合でも、違法であるとの理由のみを以て直に懲戒責任を生ずるのではなく、懲戒責任が生ずるためには違法争議行為が職場秩序の違反、すなわち、業務の正常な運営に支障を来さしめたことを要する。争議中でも会社が業務を営んでいる限り、労働者は組合の団結権の範囲を越え積極的に会社の業務の執行を侵害することは許されない。また、争議はいうまでもなく企業の破壊を目的とするものでなく、自己に有利な労働条件で妥結せんがため、手段としてこれを利用することが許されるのであつて、妥結の暁は労資共連帯的利害の共同戦線に立つて企業の維持発展をはかつて行くことを当初より予定しているものである。従つて、争議中平常時に於ける企業秩序が一時的に破綻している分野に於ても、争議妥結後企業運営上支障の事由となるような違法行為は、企業秩序の維持上懲戒の対象となると解するのが相当である。」（九州電力佐賀支店事件、福岡地判昭三三・九・一八労民集九・五・六九一）。

【198】「申請人等は、就業規則第七九条第四号は正常適法な業務上の指示命令を不当に拒否したり、社業、職務秩序を紊した場合であつて、スト中は業務命令は排除されており、平常時とは異るから本件の場合は本号に当らない旨主張するのであるが、争議期間中使用者の労務に関する業務命令が排除されることはその主張するとおりであるけれども、それかといつて、使用者が労働者に対して有する社業秩序維持のための支配権を全般的に失うわけでないことは、労働契約の存する限り当然であり、本件のように従業員として給料を受領する関係では争議中と雖も平常の場合と何等異ることなく、使用者の指示命令による秩序に服すべきである……。」（錦タクシー事件、大阪地判昭三三・六・三〇労民集九・三・二四八）。

【199】「……争議中なるが故に就業規則が自ら変容修正せられ、組合活働に対してはその効力が停止されると解すべき何等の理由もない。就業規則に違反する不当な組合活動をした組合員がある場合において、使用者がその組合活動を理由に、就業規則を適用してこれに懲戒を加え得ることは当然である。」（三井造船玉野製作所事件、岡山地判昭三一・五・七労民集七・二・三〇四）。

【200】「以上の通り債権者等の行為は組合活動のわく外のものであつて組合活動たる実を有しないから職務上の義務違背として取扱わるべく使用者は専ら契約理論の要件の下に解雇等の手段に出る事を許されるものと言わねばならない。」（日本製鉄八幡製鉄所事件、福岡地小倉支判昭二五・五・一六労民集一・三・三〇一）。

したがつて、以下に述べるところも、これを肯定することを前提としているものである。

(二)　幹部責任　争議行為を理由とする懲戒解雇に関しては、いわゆる組合の幹部責任の問題がもつとも多く論ぜられている。

争議行為が全体として違法とされる場合に、組合の役員その他の幹部はどのような責任を負うべきであろうか。これについては、

【201】「違法な争議行為を指揮命令した組合の指導者の行為が不当であることは、これ又当然の事理ではあるが争議行為が事実行為である以上指導者が直ちに争議行為自体の代表者であると言うことは出来ない。又組合代表者の不当な指揮命令によつて違法な争議行為が行われた場合の責任は一応組合自体にあるものである。」（京都市事件、京都地判昭二四・一〇・二〇労働関係民事事件裁判集七・五六）。

として、いわゆる幹部責任を否定する裁判例もないではないが、ほとんどの裁判例にあつては、いずれも組合幹部に対する責任の帰属を承認する立場に立つている。

まず、違法な争議行為を自ら企画し、決議し、または執行、指揮した組合役員は、その争議行為についての懲戒責任を免れることができない。

【202】「組合の最高指導的地位にある者が自ら違法な争議行為を決議し、これを執行及び指揮した場合にはその違法な争議行為につき責任があること当然で、申請人Xは右に述べた如き三月十一日以来の組合執行委員会の決議の参画、三月十七日以来の闘争指令による指揮、三月二十二日の現場に臨んでの指揮などについて重い責任を負わねばならない。」（昭和電工川崎工場事件、東京地決昭三一・八・一五労民集七・四・七八〇、同旨日本通運事件、秋田地決昭二六・六・一一労民集二・二・一一三、三越事件、東京地決昭二九・二・二四労民集五・一・八二、品川白煉瓦事件、東京高判昭三一・九・二九労民集七・五・八七四、沢タクシー事件、鳥取地判昭三〇・一・二〇労民集六・一・一九）。

そして、組合役員は、特段の反証のない限り、これら違法な争議行為を企画し、指導し、または実行したものとされている。

【203】「相手方Xは、本件争議の闘争委員長、同Yは副闘争委員長、同Zは戦術委員長をしていたことは、当事者間に争のないところであるから、特段の事由の認められない本件では、違法な右ビラの掲示貼布に付て、争議の指導者としての責を免れることは出来ないと解すべきである。」（高知新聞事件、高知地判昭三一・一二・二八労民集七・六・一〇一八）。

【204】「本件争議は間接的に組合員の経済的地位の向上を目的とするものともいえないからその目的において違法な争議というべきところ、特段の事情のない限り組合委員長たる申請人がこれを企劃指導遂行したものと認めるのが相当であるから、申請人は右違法争議の企劃指導遂行したことの責任を負わなければならない。」（杉田屋印刷事件、東京地決昭三〇・六・三〇労民集六・四・四八四）。

【205】「……闘争委員は反証のない限り、このような違法な争議を企画、遂行又は指揮したものとしてその責任を免れない。」（品川白煉瓦事件、東京地判昭二九・八・三〇労民集五・五・五一六）。

しかして、組合役員自らが立案決定した争議行為を現場に臨んで指示、指導し、その結果違法な争議行為が行われたような場合には、たとえ現実に自からは争議行為を実行しなかつたとしても、違反行為者と意思を共同にし、共同不法行為者として責任を負うべきものとされる。

【206】「申請人Kは牧労の争議指導最高責任者たる闘争委員長として同盟罷業中牧労のなした監視行為につき、自からその実施方針の立案決定に参画し、右決定方針に基いてその具体的実施を指令或は指示し、又は監視行為に伴つて生じた具体的紛争の現場に臨んで自からその処置につき指導し、これら指令、指示、指導を自己を含む組合の意思として麾下組合員に示し、之に準拠して行動すべき事を命じた結果として右各違法ピケッティングの発生を見るに至つたのであるから、右各違法ピケッティングを自から実行しなかつた部分も当該違反行為者と意思を同じくし、之を介して実行した共謀共同行為と言うべく……当該違反行為者と同一の責任を問わるべき……である。」（旭硝子牧山工場事件、福岡地小倉支判昭三一・六・一四労民集七・三・五三五）。

しかし、元来執行機関は、組合の決議機関による決議事項を執行することを本来の職務権限とするものであり、したがつて、かりに執行機関たる組合役員が違法な争議行為を立案企画したとしても、その責はこれを決議承認した決議機関が負うべきものであり、また、違法な決議にもとづく争議行為の指導責任についても、執行機関にのみ責を負わすのは妥当ではないのではないかという疑問がある。この点については、つぎのような注目すべき裁判例がある。

【207】「そこで組合の執行機関である被申請人等の責任について見ると、……組合の世帯が小さい為に、いつでも必要に応じて大会を開くことができること、執行機関は組合員の意向をまとめて、立案した上大会に提出して討議するのが常であり、その大会の議長は大会の都度執行部外の一般組合員の中から選ばれるのが例であつたこと、本件ストは期せずして盛り上つた組合員の意向に基いて、無記名投票によつて決議されたものであること、ストの開始及方法等についてもその都度大会を開いては之を討議して決定したこと、及執行機関で

ある被申請人等が、他の組合員を煽動するような事実は全くなかつたことを認めることができるし他に之を覆すに足るような疎明はない。以上認定の如く組合は極めて民主的に運営せられており、かかる事情のもとにあつて、被申請人等に対し他に特に責むべき事由について何等の疎明もない本件の場合、執行機関である被申請人等を他の一般組合員と区別して之に責任を負わしめんとすることは何等理由のないことである……。

次に申請人主張の如く執行機関は平和条項違反の争議行為を阻止すべき義務があるかどうかについて考えて見るのに、執行機関は組合の決議事項を執行することを本来の職務権限とするものではあるが、その決議が違法であることを認識して而も之を阻止することができるような状態にあるのにもかかわらず敢て之を執行したような場合は、その争議行為についての責任を免れないものというべきである。然し客観的には違法な争議行為であつても主観的に正当な争議行為なりと考えることに相当な理由のあるときはその責任を負わしむべきものではない。」(三石耐火煉瓦事件、大分地臼杵支判昭二九・一〇・二〇労民集五・六・六二八)。

つぎに、全体としての争議行為が正当であつても、組合員の個々の違法行為がなされた場合に、これに対して組合幹部はいかなる程度において、当該違法行為の責任を負わなければならないであろうか。

まず、一般的に、組合幹部は争議行為を指揮指導する立場にあるから、指令自体は違法行為を指示したものでなくても、その発した指令から一般に予想されうべき逸脱については充分な配慮をなすべきであり、事故発生の防止に努めなかつた以上は責任を免れないとする。

【208】「もとより右の一般的指示が前記のような違法で無秩序、暴力的な大衆行動を指示したものとは解されないし又解すべき資料もないが、少くとも右組合の幹部である前記五名の申請人等としてはその直接指導統制下に行われる罷業、団体交渉等の一般争議手段の外、自主的職場闘争という屢々組合の統制を逸脱して無秩

序に陥るおそれがあることの当然予想される方法を指示した以上、それが本件において実際そうなつたように無秩序に陥り暴力的にならないよう十分の指導をつくしてなおそれが防止できなかつたことが明かでない限り、右指令から一般に予想され得べき逸脱についてその責を逸れないものと解すべきである……。」（三菱電機神戸製作所事件、神戸地判昭二五・五・八労民集一・二・二三六）。

けだし、かかる指令そのものをだすことは、当然にその指令のうちに違法行為の発生が予想されていなければならないものとされるのであろう。

【209】「すでに述べたように、本件の中闘指令第七八、七九号はいずれも多数職場員を動員し、入渠作業を阻止せよと命じただけであつて、その文言から直ちに暴力的行動を組合員に命じたものとは考えられず、また当時発令した中闘委員等が右指令によつて明かに暴力的行動を行わせようと企図したものと認むべき証拠もない。……しかしながら、右のように明かな暴力的意図はないとしても、岸壁における前記のような示威も説得行為もその効なく、既に沖出が敢行せられ、やがて船が船渠に進入し来る段階に於て、重ねて多数組合員を動員して入渠阻止を指令し、約五百名に及ぶ組合員を狭隘な船渠現場に密集させ、気勢をあげさせるときは、それだけで綱取作業はもとより、入渠作業全般の円滑な実施が著しく阻害せられることは避け難いところであつて、かような事態は指令の発令によつて当然予想せられる結果といわねばならない。……一般組合員ならばともかく、造船所全般の組合活動を掌握し、各職場ないし作業の実状を考慮して争議行為を指導すべき責務を負う中闘委員として、右のような入渠作業の特殊性及入渠阻止指令に当然伴うべき危険をすべて無視して軽々しくかような指令を発し、しかも危険の防止に適当な措置をとらなかつたことは、重大な失態であり、到底その責を免れることはできない。」（三井造船玉野製作所事件、東京地判昭二八・七・三労民集四・四・二八一、同旨同事件、東京高判昭三〇・一〇・二八労民集六・六・八四三）。

【210】「尤も右指令の内容はその使用せられた文字に従えば単なる『出荷停止』であり必ずしも積極的行為による出荷妨害を命令したものでなかつたが、申請人自身右のような出荷妨害の結果の発生を予期しこれを是認

していたことは、同申請人が六月十六日前示争議行為のまつ最中星崎工場第二工場における全員大会に臨み、組合員の行つている出荷妨害行為は正当なる争議行為である旨演説し組合員をげき励した事実によつても窺い得るのであつて、申請人は右結果の発生について責任を負うことを免れないのである。」（新大同製鋼事件、名古屋地決昭二五・八・二一労民集一・四・六三〇）。

さらに、組合員による違法な争議行為が行われていることを知りながら、これを積極的に援助した場合に責を問われるのは当然であろう（前掲新大同製鋼事件参照）が、違法行為が現に行われていることを知つており、しかもこれを阻止せずまたは防止の措置をとらなかつたときは、組合員の違法行為を阻止しうる立場ないし地位にある組合役員として懲戒責任を免れえないものとされ、

【211】「しかしながら争議の最高指揮者は常にその指揮下にある組合員が適法な争議行為を遂行するように指導監督しなければならないのであつて、これが適法行為から逸脱することを知つた場合において直ちにこれを阻止すべき義務を負うことは多言を要しない。それ故もし、適法な争議行為に終始することによつて争議の目的を達成できないことがあるとしても止むを得ないところであるといわざるを得ない。」（前掲昭和電工川崎工場事件）。

【212】「疎明によれば、前示八月二十九日の本件暴力事件の当時、Xもその現場に居合わせていたものであり、而も暴力行為に出た二名の組合員は裁判の結果有罪の判決言渡をうけるにいたり、X自身も一審裁判所では無罪の判決をうけたが二審裁判所では暴力業務妨害罪により有罪の判決をうけたことが一応認められる。かようなばあい、組合の書記長たるXとしては自らが違法の行為に出るべきでないのは勿論、さらに他の組合員の争議行為が違法にわたらないよう指導すべき立場にあつたものであるから、これらの違法な争議行為について、その責を免れることはできない。」（駐留軍陸上輸送部隊事件、横浜地決昭三〇・九・二一労民集六・五・六三三）。

さらに進んで、つぎの裁判例は、違法行為の発生を「知りえた」場合にも、「防止しえた」努力を怠

つたものとして、幹部責任を認めている。この立場は、組合幹部の結果的責任を認めようとするのであろうか。

【213】「中闘委員の当初の意図を超えて、違法な争議行為がなされた場合でも、中闘委員は右争議行為の行われることを知り得た以上は、その職責として違法な争議行為の防止に努力すべき義務を負うものというべく、これをことさらに放置して行わせた場合はもとより、またこれを防止し得たに拘らず、防止のために努力しなかつた場合にも、同様の責任を負うものと解するのが相当である。」（前掲三越事件）。

【214】「本件争議においても反証のない限り闘争委員会において企画し指揮し、或いは実行したものと認むべきところ、この地位にある闘争委員は争議に当り組合員の組合活動が許された正当の限度を超えることのないように万全の注意をなすと共に、苟も違法な争議行為がなされていることを知りえたときはこれを放置することなく直に阻止するにつき有効適切な処置をとることを要するものというべく、闘争委員が自ら違法な争議行為を企画し、指揮し実行する場合は勿論、違法な争議行為が実行されていることを知りながら、これを阻止しうるに拘らず、放置して制止しなかつた場合にもその責任を負うことを要するものというべきである。」（品川白煉瓦事件、東京高判昭三一・九・二九労民集七・五・八七四）。

右のような立場に立つてみると、原告Xは「平素から組合の財政部長として専ら組合会計用務を担当し、それ以外の組合活動に関する決定は主として他の中闘委員に委ねていたので、前記入渠阻止指令を決定した際も、会社勤労課において組合用務に従事していたため、中闘委員会に出席せず、右指令の実施についても終始全く関与しなかつた」ことが認められる場合、Xの責任について、

【215】「同原告に対し違法な右争議行為を積極的に行つたことの責任を問うことはできない。しかし……病気のため前記中闘委員会に出席し得なかつたのと違い、組合会計用務を担当し、それ以外の組合活動に関する

決定は、主として他の中闘委員に委せていたというのであつて中闘委員会に絶対に出席し得なかつたものと認めることができないに拘らず、中闘委員の職にありながら、自ら会議に出席せず、従つて右指令の内容を知ることができなかつたため、その後行われた違法な争議行為を防止するために十分な努力を払わなかつたことは、中闘委員として違法な争議行為を防止する職責を十分果したものとはいい難く、中闘委員の職にある以上、右の違法な争議行為につき全然責任がないとはいえない。しかし右のような事情で専ら組合会計用務を担当しておつたため違法な争議行為に全く関与しなかつた同原告に対し、懲戒解雇という重い処分をもつて臨むことは、酷に失する。」（前掲三井造船玉野製作所事件）。

争議行為の遂行にあたつては、しばしば外部団体による応援共闘の体制がとられることがある。こうした外部団体員によつて惹き起された違法行為に対する責任の帰属が問題となるが、組合幹部において応援団体を直接指揮する権限がなかつたとしても、違法行為を阻止すべき責務はあり、これを制止する措置を欠いた場合には幹部責任を不問に附することはできない、というのが裁判例の態度である。

【216】「さきに認定したように、十八、十九両日は、早朝から多数の外部組合員が現場に集り、全三越労組員と共にピケを張つたのであるが、その数は頗る多く、非常な気勢を上げ、むしろ全三越労組員より外部の組合員等がピケの中心となつて活躍した感があることは疎明を通じて明かなところであつて、違法なピケの責任も多分にこれら応援団体にあるとも思われる。しかもこれら外部の組合員に対し、全三越労組の幹部はこれを直接指揮する権限がなかつたものと認められるので、この点については、全三越労組並びにその幹部にとつて同情すべき事情があり、その責任を問うについてもじゆうぶん考慮しなければならない点である。しかしながら本件争議応援のために組織された応援共闘は中闘の主導性を尊重し、中闘の意に反する指令は出さない方針

をとつていたことも認められるから、全三越労組並びにその幹部においてこのような行き過ぎた争議行為を避けようと思えば絶対に避け得られなかつたとは認められない。従つてその責任の全部が応援団体にありとして、全三越労組並びにその幹部の責任を不問に附することはできない。まして右外部の組合員らは主として前記応援共闘会議傘下の組合員であり、しかも全三越労組はかねてこれと緊密に連絡協力し、本件ストライキについても、その協力を要請し、当日は全三越労組員がこれら労組員と一体になつてピケを張り、中闘委員等もまた、これら外部組合員等の行き過ぎた行為を見ながら、これを阻止しようとした何らの形跡もなく、むしろ直接指揮こそしないまでも、他の労組指導者等と共に終始これを激励し、その協力に感謝し、更に協力を求めているのであつて、この点において前記中闘委員の職責にかんがみ、中闘委員等は右外部組合員等の行動についても到底その責任を免れることができない。」(前掲三越事件)。

【217】「而して本件争議においては、闘争委員、組合員、行動部員及び闘争委員と提携する応援団体等により坐り込み、立入禁止仮処分命令の侵犯、会社職員、第二組合員に対する吊上げ、脅迫、不法監禁等の暴行がなされ、……またA、Bまたは第二組合員等が行動部員により第三工場正門前に連出され、応援団体により暴行を受けたことは前記認定のとおりであるが、外部団体である品川共闘委員会には原告X、組合員Yが委員として加わつていたこと、及び右暴行を受ける状況は同工場警務室屋上に備えられたマイクを通じ放送されたことは前記認定のとおりであるから、その頃事務所内にいた闘争委員も右正門外で暴行の行われたことを聞き知つていたものと認められる。しかるに闘争委員はこれを阻止するにつき十分な措置をとつたことを認めるに足る何等の証拠もないから、行動部員及び外部の応援団体と前示関係ある闘争委員は右の行動部員及び応援団体の行為につき責任を負わなければならない。」(前掲品川白煉瓦事件)。

【218】「而して、右のビラは、高新労組がこれを掲示貼付したものではなく、土佐労農党と称する外部応援団体が、申立人会社主張の場所に貼付したものであることは……明かである。併しながら右供述によると、高

新労組は、右のビラの貼付掲示を黙認したことも明かであるから、右のビラの内容及び掲示の仕方に付て違法な点があれば、その責任は、高新労組に於て免れ難いところである。」（前掲高知新聞事件）。

【219】「申請人らの主張によれば……各宣伝ビラは参加組合員が持参したものではなくたまたま同行した外部団体員が持参したもので申請人らはこれらの宣伝ビラに記載してあつた内容についてはこれが虚偽の事実であるとの認識を欠き、その内容に注意を怠つたという過失はともかくとして会社を誹謗せんとする意図はなかつたという。しかし申請人らがその内容が虚構の事実であることの認識を欠いたとの点については措信するに足る疏明がない。しかも本件農村宣伝においては外部団体名義の宣伝ビラも外部団体独自の行動において配布されているのではない。即ち、疏明によれば、前記外部団体員五名はいずれも当日最高リーダーである申請人Aの承認を経てこれに参加し、参加組合員らが班編成されるにおいてそれぞれ、申請人A、B、C、Dなどをリーダーとする各班に編入され、各班の一員として行動していること、及び外部団体員持参の宣伝ビラも申請人Aがこれを配布するに同意して各班に分配し、各班員を通じて農民に配布したことが認められる、これらの事実に照らせば、外部団体員持参のビラ、外部団体員の宣伝活動は右申請人らの宣伝活動と一体をなしているものと認められるので、その配布者がビラの記載内容を諒知せず又は諒知できなかつたことについての特段の事情の疏明のない本件においてはその記載内容を諒知していたものと推認するの外なく且つそれが事実であると誤信すべき事情が何も認められないので右ビラの配布により会社を誹謗する意図を否定することはできない。」（前掲昭和電工川崎工場事件）。

これに反して、組合役員の責任を問いえないような事情があつたと認められる場合として、つぎのような場合がある。すなわち、会社側においても労使間の信義を裏切るような態度があり、組合員がこれに対し、不満、激昂を押え切れないで職場運動にでた場合に、組合幹部としても組合員の行動を押ええないと認められる事情にあつた場合は、その責任を非難ずることは妥当でないとされる。

【220】「尤も、かような事情から判断すると、前示九日から一六日までの生産低下は、支部が積極的に指令してこれを行わせたものではないけれども、支闘委員においても右の紙筒外注問題にからむ紙筒工室の作業態度を知つていたであろうことは容易に推認し得られたところで、支部は一応同工室のこの動きを知りながら、これを黙過していたと考える外はないから、支部において組合員の統制、掌握に欠くるところがなかつたとはいえない。しかしながら、既に述べたように、作業所においても支部との申合（作業所が支部と改めて紙筒外注問題について協議する旨の申合—筆者註）を無視してまで紙筒の外注作業を行わせて労使間の信義を裏切り、M係長も組合員でありながら作業所の意をうけてその外注に積極的に協力して支部の統制を紊したものであるから、紙筒工室の女子組合員等がこの作業所やM係長の態度に対する不満、激昂を押え切れず、右のような職場運動（労働強化にならない程度の作業量に止めること—筆者註）に出たとしても、同組合員の立場としてはやむを得ないところであるし、又支部としても右組合員等の不満、憤激をむげに押え得なかつたのも無理からぬところがあり、前記のように紙筒生産低下の量もそれ程著しいものではないことを考え合せると、支闘委員である被控訴人等が紙筒工室女子組合員等の右行動を黙過したことを以て被控訴人等が故意又は重大な過失によつて紙筒の生産低下を招来せしめ会社に損害を与えたと非難することは妥当でない。」（日本化薬厚狭作業所事件、広島高判昭三四・五・三〇労民集一〇・三・五三一）。

また、指令自体や発令時の状況から暴力的行動が当然予想されるような場合であつても、病気等のため指令そのものおよびその執行についてなんら関与しえない状況にあつた場合とか（【221】）、かかる事態の発生が必ずしも予想されないような指令にもとづいて、個々の組合員が惹き起した突然的事件（【222】）についてまでは、組合役員はその責任を負うものではない。

【221】「同原告は十二月十八日急性肋膜炎のため発熱し十九日夜呼出されて組合の拡大闘争委員会に出席するまで、終日自宅において臥床し、前記中闘指令第七八号第七九号を決定した中闘委員会に出席せず、また指令の執行前その報告を受けたこともこれを承認したような事実もなく、その発令及執行についても終始関与しなかつた事実が認められる。更に、すでに説示したところからも明かなように、右指令は、それまでの争議の経過において中闘委員らの全く予想しなかつた突発的事態によつて発生せられたのであるから、同原告がこれを予想して、その発令ないし実施を防止すべき機会も全くなかつたものと認められる。して見れば、このように同原告が右指令に関与せず、これを防止すべき機会もなかつた以上、被告のいうように、単に同人が中闘委員長の地位にあり、指令がその名において発せられたというだけで、同人に対し右指令についての責任を問うことは許されない。」(前掲三井造船事件)。

【222】「次に、前掲七月二十九日の部隊通用門前における本件暴力事件も、たまたま、附近にピケットラインを張つていた組合員によつて、突発的に惹起されたものであることが疎明されるのみならず、Xが右現場に居合わせていたことの疎明がないから同人が本件争議についての組合側の最高責任者たる執行委員長の地位にあつたものであるとしても、かような一部組合員の惹き起した突発的事件についてまで、その責を負わせることは不当である。」(駐留軍陸上輸送部隊事件、横浜地決昭三〇・九・二一労民集六・五・六三三、同旨同事件、東京地判昭三四・九・一二労民集一〇・五・八六二)。

右にみてきたように、裁判例は違法争議行為に対する組合役員の責任をかなり重く見ているものといえる。しかし、既に触れたように、幹部責任については批判的な学説も少なくないところであるし、かりにこれを認めるとしても、たとえば公務員の部下に対する指導監督責任や使用者の被用者に対する責任(民七一五条参照)と異なり、法制度上広範に幹部責任を認めることには疑問がある。すなわち、懲戒責任は従業員の経営秩序、規律違反を原因とするものであり、それは個々の従業員の使用者に対する直接かつ個別的な関係を前提とする。したがつて、争議中といえども、従業員は経営秩序、規律違反の行為にでてはならないということが、従業員としての使用者に対する義務であるとしたとしても、それは一般組合員たると組合役員たるとで、質的にも量的にも異なるところはなく、組合役員が組合の機関たる地位にあることによつて、当然に一般組合員以上に重い企業秩序遵守義務を負うべきだとするなんらの根拠はない。けつきよく、個々の組合役員が当該違法争議行為について、個別的にどの程度において秩序違反の責任を問わるべきかを具体的、個別的に判断すべきであつて、「反証なきかぎり」組合機関として当然に責任を負い、あるいは組合幹部の結果的責任を問題とするのは妥当ではなく、また、つぎの裁判例のように、民法第七一九条を類推して共同不法責任を問うことも問題があろう。

【223】「そして、以上の器物損壊、暴行脅迫などは、前記のように千人にも達する多数の労働者が使用者に対し不満をもつて比較的狭い場所に長時間無秩序に集合していれば、勢の赴くところ発生しがちであることは容易に予想できるところであるから、右のように故意の暴行の結果器物が損壊され、他人に暴行脅迫が加えられた以上、陳情という共同の目的につながれた前記集団中の誰かがしたことが明かな右行為については、その全員が責任を負わねばならないことは、民法第七百十九条の解釈上明かなところであつて、これを懲罰的な解雇原因として見る場合にも結論を異にしない。そうだとすれば、Xを除く前示申請人等が直接前記損壊、暴行、脅迫を行つたことを疏明すべき資料はないが、右集団に参加した同人等は……懲戒規定に基きその責を問われなければならない。」(前掲三菱電機神戸製作所事件)。

㈢　争議行為参加者の責任　争議行為が違法とされる場合の幹部責任は別として、これに直接参加した組合員の責任に関し、当該争議参加者はそれ自身としても責任を問われるものであるかどうかについては、裁判所はこれを肯定するようである。

【224】「……組合の決定に基く組合活動といつてもそれが違法な争議行為であるときは組合自身の責任(例えば損害賠償責任)を生ずることのあるは勿論、当該違法行為者自身においても個人責任を負うべきものといわねばならない。けだし組合の決定に基き組合のためにする行為であるからといつてこの行為に基く結果の責任をすべて組合に転嫁することを認めるにおいては、行為が行為者の判断、意欲、決意に基く価値行為たる本質をないがしろにし近代法の基本観念に背馳するそしりを免がれないばかりでなく、組合の名のもとに違法行為を敢てする組合員の違法行為を阻止し得ない事態を招来するからである。組合のためにする行為又は組合の決定に基く行為はその違法なるものといえども尚組合活動というべきであるが、違法組合活動をなした者はその行為によつて生ずることのある組合の責任とは別個に違法行為者としての個人責任を免がれえないものであり……。」(三井化学三池染料事件、福岡地判昭三二・七・二〇労民集八・四・四三九)。

したがつて、一般組合員が、その違法な行為を認識し、率先してこれに協力した場合には、当然にその責任が追求されることになる。

【225】「従つて左様な組合員が個々的にもその手段において明瞭に違法なる争議行為とか或は手段の点はともかくとしてたとえば明瞭に会社の生産阻害のみを目的とする如き違法な争議行為とかの首謀者、率先指揮者、積極的協力者であるとの点が明にされれば全体的争議よりはなれてその違法なる個々的行為に対し責任が追求されなければならない。」(松浦炭鉱事件、長崎地佐世保支判昭二五・一一・二〇労民集一・六・九四五)。

同様に、全体としての争議行為の適法性の有無にかかわらず、個々の違法な争議行為を率先して推進し、積極的に参加し、または煽動した場合にも、重い責任があるものといえよう。

【226】「支部闘争委員として違法争議行為を率先して推進し、かつ右のように実力によつて店員らの入店を阻止した違法行為につき責任を免れない。」（三越事件、東京地決昭二九・一二・二四労民集五・一・八二）。

【227】「……原告等のように、集合せる多数の職場組合員等を煽動して、これに職場を抛棄させる等、恣意をもつて職場秩序を混乱せしめた不当な争議行為が行われ……、これに懲戒を加えることは当然であつて……。」（三井造船玉野製作所事件、岡山地判昭三一・五・七労民集七・二・三〇四）。

このように、労働者が違法な争議行為に参加することにより、経営の秩序規律を乱したときは、これを理由として懲戒できるとしても、その責任は各労働者別に追求せらるべきであるから、量的に、質的に重大であるか否かによつて、これに課せられる懲戒の内容も異ならざるをえないものといえよう。

【228】「本件の如く結局労働争議がその全体において違法と認められてもそれはあくまで組合とその最高責任者の責任の限度にとどまりそれ以外の組合員個人の責任はあくまで個々の行為について責任の所在を追求しなければならない。」（前掲松浦炭鉱事件）。

その意味においては、前述のように違法争議行為に対する積極性がみられる場合を除き、ただ争議行為に参加したというだけでは違法性が少なく、あるいは期待可能性がないものとして責任を阻却される場合が多いものと考えられる。

【229】「……只末端の組合員はその違法行為責任の程度の評価において差異を生じ或は期待可能性の有無の問題を生ずるにすぎないものと解する。」（前掲三井化学三池染料事件）。

【230】「会社がX申請人の懲戒事由として主張する……出荷妨害については違法争議行為を実行した者としての責任を負わねばならないことは勿論であるが、単に一組合員として前認定のような違法行為を実行したに

過ぎない者の責任を問うに懲戒解雇を以つて臨むことは酷に失するものと判断するのが相当であり……。」（昭和電工川崎工場事件、東京地決昭三一・八・一五労民集七・四・七八〇）。

【231】「原告ABCDの四名については、同原告等の所為がいずれも或は単独で行われ、或は他と共同してなされた場合においてもその活動は従属的であつたこと……に鑑み、その犯則に対し被告が就業規則の定める譴責、減給、職分剥奪等の制裁を顧慮することなく、これ等四名に対し一挙に職場の極刑ともいうべき懲戒解雇の処分を採用したことは苛酷であり、就業規則を正当に適用しない懲戒権の濫用であつて、いずれも無効の処分というべきである。」（前掲三井造船玉野製作所事件）。

もつとも、つぎの事例のように、違法性の軽重は各行為を通じて全体として判断されるものであり、個々の行為としては違法性が軽微であつたとしても、これを全体としてみれば違法の度合が強くなる場合もあるであろう。

【232】「原告A、B、C、Dの行為は、いずれも正当な組合活動の範囲を逸脱しているのであつて、その一つ一つをあげれば、中には違法性の比較的軽微なものもないではないが全体を綜合すれば、違法性が甚しく、経営体秩序を紊乱したものとして、懲戒解雇せられてもやむを得ないものといわねばならない。」（品川白煉瓦事件東京地判昭二九・八・三〇労民集五・五・五一六）。

(四)　責任阻却事由　違法な争議行為等を理由とする懲戒解雇は、職場秩序、規律違反としての個々の労働者の使用者に対する個別的責任である。したがつて、理論的には、正当な範囲を逸脱した争議行為が形式的に職場秩序違反に該当するかどうかという事実問題と、それが懲戒事由としての職場秩序違反として反価値性をもつかどうかという問題とが区別して論ぜられなければならないが、判例は一般に後者の問題を情状論として取扱つているようである。

つぎに、これらに関する若干の事例をあげておくと、懲戒事由としての反価値性を問いえない行為にあたるとされた事例としては、たとえば、暴行その他の違法または不当性が労働慣行上軽微であり、

【233】「前記の如くA係長の足を引張つたり、歩行中に後から押して行つたことはなるほど有形力の行使には相違ないが、右はA係長が問答の相手にならうとせず巡視を続けるのについいら立ちの余り手を出したものと認むべく、『暴行』というにはその程度も軽少なものであるし、又作業停止を要求して迫つたことについては事の行きがかり上多少粗暴の言辞のあつたことは認められるが、……特にA係長に対しこれを畏怖せしめる如き言辞や態度があつたことは認められない。」（三井化学三池染料工業所事件、福岡地判昭三二・七・二〇労民集八・四・四三九）。

【234】「軍が本件室の立入を禁止した趣旨は軍の機密保持を害する虞あるためその他職場秩序の紊乱を防止する目的をもつてなされたものと諒解するに難くないが、Xが右室に立ち入つたのは教育を受けていた新規採用者が休憩中であつて、教育実施に何等妨げない状況にあつたためであることが明らかであるので職場秩序を紊乱したとは認められず、その他軍の機密保持の目的を甚しく害する虞あるものとも考えられない。」（駐留軍追浜兵器工場事件、東京地判昭三一・一〇・一〇労民集七・五・八九五）。

あるいは、争議中における会社封筒の無断使用につき、

【235】「高新労組は、社名入封筒を用いていたが、これに対して、申立人会社から、右に述べた昭和三十一年七月一一、一二日迄には、抗議もなされていないし、又申立人会社のみならず他の地方新聞社の労働組合に於ては、慣行として、社名入封筒を組合のための文書郵送に用いていることが認められ、それ故に、一般には勝手に社名入封筒を用いることに付ての違法認識が不足していると言わなければならない。」（高知新聞事件、高松地判昭三一・一二・二八労民集七・六・一〇一八、なお新潟精神病院事件、新潟地決昭三一・八・一〇労民集七・四・七七三参照）。

などの場合には、懲戒原因に該当しないとされる。

これに対し、一応違法な行為としての責任は免れえないが、それが懲戒解雇に値するほど「重大な事由」とはいえず、「情が重くない」として、懲戒解雇を不当とする事例は多数にのぼっている。つぎに、その主なものを類型的に分類してみると、【151】のごとく違法性の認識が欠けるとするもの、就業時間内における違法行為が短時間にすぎず（木南車輌事件、大阪地決昭二三・一二・二四労働関係民事事件裁判集二・五五、広島電鉄事件、広島地判昭二五・五・一一労民集一・追録・一二四四、本田技研工業事件、東京地決昭三三・一一・二四労民集九・六・一〇一三）、賃金遅配下に行われた行為として事情察すべき点がある場合（北辰精密工業事件、東京地決昭二六・七・一八労民集二・二・一二五、富士精密荻窪工場事件、東京地判昭二六・一一・一労民集二・五・五三七）、「争議下組合の分裂に伴う尖鋭化した感情の対立」や（塚本商事事件、大阪高判昭二八・六・二二労民集四・四・三五三、同事件、神戸地判昭二七・一一・一三労民集三・六・五四二、最判昭三二・六・二〇労働旬報二八一号）、会社側の「不誠実な態度に憤慨した末なされた偶発的な」事故（九州電力佐賀支店事件、福岡地判昭三三・九・一八労民集九・五・六九一）、その他比較的軽い暴行傷害であって、とくに業務を阻害したものとも思えないような場合（品川白煉瓦事件、東京地判昭二九・八・三〇労民集五・五・五一六）、あるいは、「原告等の所為がいずれも或は単独で行われ、或は他と共同してなされた場合においてもその活動は従属的であった」と認められ（三井造船玉野製作所事件、岡山地判昭三一・五・七労民集七・二・三〇四）、さらには、「本件解雇当時まで勤続実に十四年以上に及び中堅優良坑員であることを一応認めることができ」「謹慎、罰俸、譴責等の軽い処分に付してこれに反省の機会を与えることが全く無意味であるとは毫も考えられ」ない場合（樋口鉱業事件、福岡地飯塚支判昭二九・一・一九労民集五・一・五一）とか、作業を遅延させる目的で作業工程中の「粕剥ぎ」を遅くし、「掲げ槽の量を減らし、又は醤油樽の縄のかけ方を緩くすること」などを決定したにもかかわらず、「その後本件解雇に至るまで一ヵ年余の間において、右決議が実行に移され、同申請人等の作業能率が著しく低下し」たということが認められないような場合（銚子醬油事件、東京地決昭三一・八・二二労民集七・四・六七二、ただし、本件仮処分異議事件である東京地判昭三三・七・一八労働旬報三一六号では、右決定は職制の麻痺企業の破壊を企図したもので、懲戒事由たる「故意に作業能率を害し又は害しようとするとき」に該当し、かつ情状の軽くないものであるとされた。）などの事例をあげることができる。

## 四　争議不問責協定

労使双方が、すでに行われた特定の争議を終結するに際して、たとえ違法な争議行為が行われていたとしても、その責任を一切追及しない旨の協定を締結することは、なんら差支えないものといわざるをえない。しかして、かかる協定がいかなる趣旨のことを意味するものであるかは、もとより当該協定内容の解釈によるべきものであるけれども、一般には、単に会社、組合の不法行為ないし債務不履行の責任を追及しない旨を規定したに止らず、組合員個人の責任をも問わない趣旨のものと解するのが相当である。

【236】「ところで、一般に本件の如く争議妥結に際しその争議に関して労使双方共相互に一切の責任を問わないとの趣旨の協定を締結した場合当事者双方はこれを以つて、その争議に関して現に生じまたは将来生ずることあるべき一切の紛争を解決し、その責任を追及しない旨表明したのであるから、会社と組合との間の争議に関する責任、例えば会社が組合の不法行為または債務不履行による損害賠償責任を追及しない旨の合意を含むこと勿論であるが、別段の留保の意思表示または特段の事情の認むべきもののない限り、会社はその争議に関して組合員個人の責任も追及しない旨の合意を含むと解するのが相当である。」（国際自動車事件、東京地判昭三一・一二・四労民集七・三・四二一、同旨、東京地決昭三〇・二・二二六労民集六・一・一二）。

もつとも、つぎのような場合には、いわゆる争議不問責の協定が成立したものとはいえないとされる。

【237】「会社と組合間の争議に関し、申請人等主張の日に和解協定が成立し、協定書が作成されたことは当事者間に争がない。申請人等は、右協定書には明文上の記載はないが、協定成立の前提として、会社は争議期間中のできごとに関し申請人等組合幹部を処分しないことを約したものである旨主張するのであるが、……各証拠に対比してたやすく信用できない。ただ、申請人両名本人の供述によると、会社代表者が昭和三一年八月三日、全員朝礼の際、『今までのことはお互に水に流して頑張り合おう』との趣旨の挨拶をしたことが窺われるが、右は争議妥結の一般的な挨拶に止まり、申請人等主張の組合幹部の不処分を言明したものといい難いことは明らかであり、その他これを疎明するに足る資料は存しない。」(錦タクシー事件、大阪地判昭三三・六・三〇労民集九・三・二四八)。

争議責任を追及しない旨の協定が、直接組合員個人の責任をも追及しない旨の合意を含むものと解される場合には、その合意はもとより使用者の懲戒解雇権の制限にほかならないから、右協定に違反する解雇の意思表示は、これを無効と解すべきものである。なお、ここに「争議」とは、当該争議行為のみならず、これに関連し附随した一切の行為を含むものと解すべきことは、すでに【1】において述べたところである。

【238】「それ故右のような協約を締結した場合、会社従業員たる組合員の中に右のごとき不法行為ないし債務不履行により就業規則の懲戒事由に照らし責任を問われるべき者があつた場合でも会社はこの協約の効果としてその責任を追及することができないものというべく、その不追及の合意は単に債務を負うに止まらず懲戒解雇権の制限に外ならないものであるから、右の協約に違反した責任追及即ち解雇の意思表示は無効といわざるを得ない。」(前掲国際自動車事件)。

【239】「疎明によると、前記争議の妥結にあたり、組合側より当時問題となつていた賃金カットの点は一応別としても、後日争議の犠牲者を出さないことを含める趣旨で一切を水に流されたい旨の申入があり被申請人

がこれに異議を狭まず暗黙の裡にもせよこれを了承したと見られる応接をなし、ここに両者の間に賃上げに関する争議の円満な妥結が成立したこと、本件懲戒解雇の事由が各申請人ともに共通であり、しかも、その主たる事由は、申請人等が前記争議行為を計画指導したという点にあること……、これらの事実を綜合して考えると、本件懲戒解雇の意思表示をなすにいたつた被申請人の意思は、所詮、申請人等の組合活動に対する報復措置にあつたものと推認するのを相当とする。しからば……本件懲戒解雇の意思表示は、労働組合法第七条第一号の不当労働行為に該当し、その効力を生ずるに由ないものといわなければならない。」（新潟精神病院事件、新潟地決昭三一・八・一〇労民集七・四・七七三）。

## 五　懲戒解雇を普通解雇に転換することの可否

正当な争議行為が行われ、あるいは違法な争議行為であつても、懲戒事由に該当するほどの反価値性をもたないか、もしくは情状の点において酌量すべきものがある場合に、使用者が懲戒解雇をもつてその責任を問いえないことは、すでに述べたところである。しかし、使用者が解雇という事実状態の発生をあくまで期待するために、このような場合に、いわゆる普通解雇への転換を主張することができるであろうか。この点については、懲戒解雇と普通解雇とはその根拠、内容、効果において相異なるものがあり、争議行為の違法性を問責するのは、職場秩序、規律違反の点にあると考えられるので、否定的に解すべきである。裁判例もこの立場をとる。

【240】「被申請会社は本件懲戒解雇が懲戒解雇としては無効であつても普通解雇に転換すると主張するが、この二種の解雇は法律的にみてその根拠を異にし、その内容、効果に於て、又多くの場合手続的にも著しく相違し、且つ又実際的見地に立つても、かかる転換を認める事は懲戒解雇の行われる場合を不当に拡大し、之を濫用する傾向を多分に誘発するから右転換は許さるべきではないと解する。」（奈良観光バス事件、奈良地判昭三四・三・二六労民集一〇・二・一四二）。

【241】「最後に本件解雇の効力の点について検討するに、控訴人は本件解雇を以て普通解雇であると主張するが、その実質において本件争議を違法とし違法争議を企画指導した責任を追及して解雇したものであることはその主張自体によつて明かであつて、凡そ解雇が使用者が労働者の経営秩序違反その他の信義則違反に対し一方的に課する制裁の実質を有する以上これを懲戒と解すべきこともとより当然である。果して然りとすれば本件においても就業規則の懲戒規定の適用を見るべく次いで該規則の適用として為される懲戒処分が規定の趣旨と労働者の行為にかんがみ客観的妥当性を有するや否やが問題となるのであつて、もし妥当性を欠く処分ならばこれを無効とすべき結論となるのである。」（高知新聞事件、高松高判昭三二・六・一一労民集八・三・三三七）。

もつとも、懲戒解雇は懲戒処分としては極刑であり、被解雇者は対内的にも対外的にも著しい不利益を受けるわけであるから、違法行為が実質的に懲戒解雇事由に該当する場合に、使用者が普通解雇処分をもつてこれに代えることは許されるものと解すべきであろう。

【242】「のみならず原告等は本来懲戒解雇に付せられるも已むを得ない場合であるに拘らず、懲戒解雇よりも遙かに原告等に有利な予告解雇を以てせられたのであるから、仮りに本件解雇基準該当事由が就業規則第十五条（予告解雇事由―筆者註）に該当せず、第六十五条（懲戒解雇事由―筆者註）に該る場合と雖も、右第十五条によつて予告解雇をしても右手続の違反が解雇を無効にする程に実質的就業規則違反とはならないと解するのが相当である。」（杵島炭礦事件、佐賀地判昭三三・四・二二労民集九・二・一六八）。

【243】「ところで就業規則が右のように規定している場合に、第六四条（懲戒解雇事由―筆者註）に該当しその情状も解雇に価する行為のある場合に第三八条（予告解雇―筆者註）第三号のやむを得ない事由にあたるものとして第三八条に規定する解雇の扱いをすることももとより妨げないとともに、従業員側の非難すべき行為を理由として第三八条に基き解雇する場合にその行為が同条第三号にいうやむを得ない理由に当るか否かを判

断するに当つては、第六四条において従業員の非難すべき行為を列挙しこれに対する処置をその情状に応じて最も重い者を解雇、以下軽い者を出勤停止、減給、譴責にするよう規定している趣旨並びに解雇が労働者に与える脅威に鑑み、予告することによりその基準を第六四条の定める基準と甚だしく異にすべきではないと解するのが相当である。」（銚子醤油事件、東京地判昭三三・七・一八労働旬報三一六号）。

**附　記**　争議行為と解雇をめぐる問題について論ずべきものとして、旧労調法第四〇条の規定がある。すなわち、同条は「使用者は、この法律による労働争議の調整をなす場合において労働者がなした発言又は労働者が争議行為をなしたことを理由として、その労働者を解雇し、その他これに対し不利益な取扱をすることはできない。但し、労働委員会の同意があつたときはこの限りでない。」と規定しており、この規定をめぐつて、違法な争議行為についてもなお労働委員会の同意を必要とするか否か、あるいは労働委員会の同意なき解雇の効力等の問題について争いがあり、これに関するいくつかの裁判例があるが、右規定は昭和二四年労働組合法の改正とともに改められ、今日では実際的意義を失つているので、ここでは省略する。

# 判例索引

著者紹介

窪《くぼ》田《た》隼《はや》人《と》　大阪社会事業短大助教授

総合判例研究叢書　労働法（7）

昭和35年6月25日　初版第1刷印刷
昭和35年6月30日　初版第1刷発行

著作者　窪田隼人

発行者　江草四郎

印刷者　藤本肇

東京都千代田區神田神保町2ノ17
発行所　株式会社　有斐閣
電話九段（331）0323・0344
振替口座東京370番

印刷・藤本綜合印刷株式会社　製本・稲村製本所

総合判例研究叢書 労働法(7)
(オンデマンド版)

2013年2月15日　発行

著　者　　窪田　隼人
発行者　　江草　貞治
発行所　　株式会社 有斐閣
〒101-0051　東京都千代田区神田神保町2-17
TEL　03(3264)1314(編集)　03(3265)6811(営業)
URL　http://www.yuhikaku.co.jp/

印刷・製本　株式会社 デジタルパブリッシングサービス
URL　http://www.d-pub.co.jp/


AG550

ISBN4-641-91076-6　Printed in Japan